Un paradigme

DU MÊME AUTEUR

AUX ÉDITIONS ALLIA

Chine trois fois muette

Leçons sur Tchouang-tseu

Études sur Tchouang-tseu

Contre François Jullien

Essai sur l'art chinois de l'écriture et ses fondements

Notes sur Tchouang-tseu et la philosophie

Lichtenberg

Trois essais sur la traduction

Esquisses

JEAN FRANÇOIS BILLETER

Un paradigme

ÉDITIONS ALLIA
16, RUE CHARLEMAGNE, PARIS IVe
2016

I

1. Quand je m'installe au café le matin, je sais que je ne serai pas dérangé. Je pourrai suivre le développement de mes idées ou me laisser dériver en écoutant distraitement les conversations, laissant mes pensées libres de se rappeler à mon attention quand elles le voudront.

Travailler au café m'aide aussi à me tenir tranquille. Chez moi je m'agite, je me lève pour déambuler, ce que je ne puis faire en public. Cette contrainte m'est favorable, elle m'empêche de me dissiper, elle me permet de garder plus facilement le cap. À la maison, je suis entouré de livres, de notes, de travaux qui attendent, de lettres auxquelles je dois répondre, etc. de sorte que je suis sans cesse tenté de sauter d'une chose à une autre. Au café, je n'ai que les quelques feuilles de papier et les notes ou le livre que j'ai apportés.

Je m'isole, certes, mais je mets aussi mon occupation en rapport avec celles des autres habitués, que je connais ou que je devine. Leur compagnie me rassure. J'ai aussi le sentiment de me situer dans l'histoire. Les cafés ont été des lieux de liberté, où des idées sont nées, où elles ont commencé leur carrière. Je m'imagine continuant cette tradition, qui va du café de la Régence où se déroule *Le Neveu de Rameau* au Flore où Sartre a écrit *L'Être et le néant*, si je ne me trompe.

Mais mon goût du retrait va plus loin. Ce qui m'importe, quand je m'installe ainsi, c'est de me sentir dégagé de toute obligation, même de celles qui viennent de moi. Dans cet endroit où je ne possède rien, mais dont je prends discrètement possession en disposant à ma guise les quelques objets que j'admets sur ma table, je renoue avec moi-même. C'est un plaisir aristocratique.

Quand j'atteins cette souveraine disponibilité, un vide se crée. De ce vide presque invariablement, au bout d'un moment une idée surgit. Je la note si le mot juste se présente. Ces moments sont un plaisir essentiel, dont je ne voudrais être privé pour rien au monde. Quand une idée m'est venue et qu'elle est notée, j'ai le sentiment que, quoi qu'il arrive, la journée n'aura pas été vaine.

Ces moments délicieux de suspension, d'attente distraite, d'attention à rien – sont le départ de tout. Quand une idée va naître, il se produit un frémissement. Je concentre sur lui mon attention afin de la cueillir à l'instant précis où elle prendra forme, avant qu'elle ne se dissolve à nouveau ou ne se mêle à d'autres. Je dois être rapide, de peur que la perte ne soit irréparable – tel un héron qui attend au bord de l'eau, impassible, et d'un geste imparable saisit sa proie dès qu'elle fait surface.

Quand j'ai raté mon coup et que la pensée erre dans les parages, je reprends mon immobilité et j'attends qu'elle se présente à nouveau. Il arrive que la prise soit prématurée. Dans ce cas, je la relâche et j'attends qu'elle revienne mieux formée.

Il s'agit parfois de mettre en relation deux idées qui s'appellent, mais dont je ne vois pas encore le rapport. Je les laisse se chercher l'une l'autre. Tôt ou tard le rapport apparaît. Elles se combinent pour en former une nouvelle ou finissent par se repousser, ce qui est également instructif.

Parfois l'apparition d'une réflexion déclenche une réaction en chaîne quasi instantanée, qui révèle d'un coup toute une suite d'idées. Cela produit l'effet d'un éclair. Le calme, le sang-froid sont particulièrement nécessaires à ce moment-là. Au lieu de se laisser éblouir, il faut noter immédiatement les mots qui permettront, quelques moments plus tard, de reconstituer l'enchaînement.

Les idées qui sortent ainsi du vide ne sont pas toujours nouvelles mais, quand elles ne le sont pas, elles me surprennent et me réjouissent comme si elles l'étaient. Il arrive aussi qu'aucune n'apparaisse et que je me maintienne simplement dans la délicieuse vacance où je me suis placé.

Avec le temps, cet état m'est devenu familier. J'y entre facilement. L'opération est simple. Je m'arrête, ou plutôt : laisse l'arrêt se faire, s'élargir, s'approfondir. Un grand bien-être s'installe, qui est inséparable du surgissement de la pensée.

Quand quelques réflexions me sont venues et qu'elles ont trouvé leur expression juste, je quitte le café d'un pas détendu. Quand j'ai échoué, je m'en vais d'un pas pressé. J'ai hâte de passer à autre chose.

2. Souvent mes idées sont plutôt des observations. J'observe ce qui se passe. Au lieu d'essayer de comprendre les problèmes dont discutent les philosophes, j'ai pris le parti de m'intéresser aux phénomènes que je puis observer moi-même, les plus familiers, ceux qui forment "l'infiniment proche et le presque immédiat"*.

Ce sont des phénomènes antérieurs au langage. C'est pourquoi je me garde de dire que j'observe les "opérations de mon esprit", par exemple : "esprit" est un mot de trop. Je prends soin de ne pas me laisser imposer des idées toutes faites par les mots que j'emploie. Aussi ne serai-je sans doute bien compris que des lecteurs

* Les notes commencent à la page 123.

qui sont aussi méfiants que moi à l'égard du langage et suspendront à tout moment leur lecture pour consulter attentivement leur expérience.

Mais arriverai-je à montrer ce que je vois ? J'en doute parfois. À force de tout reconsidérer, j'ai développé une vision des choses qui m'est propre et qui constitue désormais ma pensée. Cette pensée est-elle transmissible ? Est-elle susceptible d'être comprise par ceux qui n'ont pas tout réexaminé comme je l'ai fait, au fil des années ? Ou n'est-elle à la fin qu'une sorte de folie dans laquelle je me suis enfermé ?

Je fais le pari que non, et je vais donc tenter d'en communiquer l'essentiel. C'est une tâche ardue. Je m'y attaque parce qu'il me semble que cette vision des choses résout un certain nombre de problèmes philosophiques sur lesquels d'autres ont buté et qu'elle pourrait donc les intéresser.

Je prendrai soin d'indiquer en quoi mes idées me paraissent répondre à des besoins qui m'étaient propres, afin que chacun fasse la part des choses et juge dans quelle mesure elles peuvent valoir pour lui.

3. Comment rendre compte de ce qui se passe au café ? Novalis se donnait cette règle : "Quand le corps bouge ou travaille, observer l'esprit ; quand il se passe quelque

chose dans l'esprit, observer le corps."* Il opposait encore le corps et l'esprit. Pour échapper à cette séparation artificielle, je préfère considérer que je confie au *corps* le soin de former des idées. Le *corps* est dans ces moments-là un *vide*. Il est un vide *actif* parce que c'est de lui que surgissent les idées. Quand elles sont mûres, il les livre à la conscience, qui se borne à les recevoir.

Si tu hésites à me suivre, lecteur, songe à ce que tu fais quand tu cherches un mot. Tu cesses de te mouvoir et de prêter attention au monde qui t'entoure. Tu t'absentes en quelque sorte, et tu te maintiens dans cet état d'absence jusqu'à ce que le mot surgisse. La façon dont se prépare son apparition t'échappe entièrement. C'est une opération soustraite à la conscience. Tu te bornes à le cueillir lorsqu'il se présente et à reprendre aussitôt ton activité antérieure. Tu laisses au *corps* le soin de te procurer le mot manquant.

Je donne au mot *corps* une acception nouvelle. J'appelle *corps* toute l'activité non consciente qui porte mon activité consciente et d'où surgit le mot manquant ou l'idée nouvelle. Lorsque j'agirai, j'appellerai "corps" l'ensemble des énergies qui nourriront et soutiendront mon action.

Mais comment concevoir le rapport entre le *corps* défini de cette façon nouvelle et la *conscience*? Allons-nous supposer, au-dessus de l'obscure activité du corps°*, une sphère éclairée qui serait celle de la conscience? L'observation suggère plutôt qu'il y a deux parts dans l'activité dont nous sommes faits: une grande qui reste plongée dans la nuit ou dans l'ombre et une autre, plus réduite, qui se perçoit elle-même par une sorte de luminosité propre. Ce que nous appelons "conscience" est *cette part de notre activité qui se perçoit elle-même.** Contrairement à l'autre, cette part luminescente est variable et intermittente. Dans le sommeil profond, elle disparaît tout à fait.

Je me représente donc la part consciente de mon activité comme comprise dans l'activité générale du corps°. Ou plutôt, pour éviter de faire de la conscience un phénomène unique et séparé, je me représente *nos différentes formes d'activité consciente* comme comprises dans l'activité du corps°, le corps° n'étant rien d'autre que *de l'activité.*

Cette façon d'appréhender l'expérience que nous avons de nous-mêmes lève toutes les difficultés qui résultent des oppositions traditionnelles de l'âme et du corps, de l'esprit et de la matière, voire (comme nous le verrons plus loin) de la conscience et de l'objet. Mais elle ne les lève pas d'un coup de baguette magique. Elle nous permet de nous dégager peu à peu de ces oppositions anciennes en observant notre expérience de façon nouvelle – et de nous en faire une autre idée.

4. Un phénomène, en particulier, permet d'étudier le rapport entre l'ensemble de l'activité du corps° et la part consciente de cette activité : le *geste*.

Que se passe-t-il quand je verse de l'eau dans un verre ? L'idée commune veut que cette action se compose d'une intention, d'ordre mental, et d'une exécution, d'ordre physique. Mais, en l'observant attentivement, je découvre autre chose. Je m'aperçois que l'intention et l'exécution ne sont pas séparées : l'intention est déjà une exécution, l'exécution est de part en part portée par l'intention.

Pour vérifier cela, lecteur, accomplis ce geste avec une carafe, de l'eau et un verre. Puis : mime ce geste. Puis : contente-toi de l'esquisser en l'air. Puis réduis cette esquisse jusqu'à ce que le geste soit complètement intériorisé. Il est devenu invisible du dehors, mais tu le sens, il est réel pour toi. Dirons-nous qu'à ce moment-là, tu *l'imagines* ? – Oui, mais en précisant que tu l'imagines parce que tu l'exécutes intérieurement, et que tu ne peux pas l'imaginer sans l'exécuter au-dedans de toi-même, même si c'est de façon presque imperceptible.

Si tu parcours maintenant la suite de ces degrés en sens inverse, tu t'apercevras que la perception intérieure du geste *reste présente* à toutes les étapes. Tu ne cesses de le percevoir du dedans, donc de l'imaginer tout en l'exécutant. Quand à la fin tu l'accomplis pleinement, carafe en main, tu le suis certes des yeux, du dehors, mais tu l'appréhendes aussi du dedans, comme tu le ferais si tu étais dans le noir. L'intention n'est donc pas seulement une cause qui précède le geste, comme nous le croyons : elle l'accompagne jusqu'à la fin.

Cette exploration du geste mène à une autre découverte. Contrairement à nos *mouvements*, qui nous sont dictés par la nature (ceux que je fais pour éviter une chute, par exemple), nos gestes sont *appris*. Il a fallu que nous les mettions au point un à un, au prix d'un effort de la volonté. Chaque fois, nous avons dû accorder plusieurs mouvements de façon telle qu'ils se conjuguent pour produire le geste.

Observons un enfant qui tente pour la première fois de verser de l'eau dans un verre. Nous comprenons les difficultés qu'il rencontre, car nous les avons nous-mêmes affrontées. Et nous savons d'expérience comment, de la coordination des mouvements, à un certain moment *naît un geste*. Nous savons que cette naissance est un événement, un commencement. Elle est une source de plaisir et confère un pouvoir. J'ai désormais ce geste en moi et je le produirai à point nommé. Qui "je"? – le corps°.

Reprenons l'observation. L'ajustement des mouvements est pénible, il coûte de l'énergie. Quand ils s'unissent pour produire le geste, la dépense d'énergie baisse. Quand le geste est tout à fait au point, elle baisse encore. Le geste se fait comme de lui-même. La part consciente de notre activité, qui se concentrait sur l'élaboration du geste, est à présent libre. Elle se contente d'en contrôler l'exécution. Puis, à mesure que la maîtrise du geste progresse encore, elle jouit d'une liberté nouvelle. Elle a maintenant le loisir de se distancier du geste et d'en tirer une jouissance esthétique – celle que j'éprouve chaque fois que je verse du vin dans un verre et que je recueille avec précision la goutte.

Il y a divers enseignements à tirer de cette progression. La mise au point et la maîtrise grandissante du geste s'accompagnent d'un progrès dans la connaissance. Je connais le geste dans la mesure où je le possède. Je le comprends quand je le vois faire par d'autres parce que je l'exécute en moi-même. Je l'imagine quand quelqu'un m'en parle : je sais de quoi il s'agit. Je découvre aussi par mon geste les propriétés des objets que je manipule et j'appréhende par là certaines lois physiques : la courbe que l'eau suit dans sa chute, l'élan qu'il faut lui imprimer pour mettre sa masse en mouvement, le coup de main qui met fin à l'opération. Ce savoir fonde notre connaissance de la réalité – et nous donne accès à la connaissance de nous-mêmes. Car quand la maîtrise du geste me permet de me détacher de lui intérieurement, tout en l'exécutant, je puis l'observer du dedans. Je puis l'observer de façon de plus en plus précise et complète, et mieux connaître par là ma propre activité.

Observons encore ceci. À l'instant où mes mouvements s'unissent pour donner naissance au geste, un basculement se produit. Le corps° prend le relais. Ses ressources se conjuguent pour porter le geste. Un beau jour en servant du vin, j'ai senti que tout concourait soudain à la réussite de mon geste : l'aplomb, l'équilibre, la respiration, la coordination du regard et du mouvement du bras, une juste pesée de la masse du liquide et de son déplacement dans la carafe, etc. Tout cela se faisait subitement avec un parfait ensemble et *venait d'en bas*. Le corps° a ce pouvoir de rendre naturel ce qui a d'abord été artificiel.*

Le geste joue un rôle central dans nos vies. Il est un phénomène *sui generis*. Il n'a jamais retenu l'attention des philosophes, que je sache, sans doute parce qu'il est à la fois trop complexe et trop familier.

5. Le geste fournit un paradigme, celui de l'intégration. Il naît d'un processus que j'appellerai le "travail d'intégration" et se développe ensuite par une intégration de plus en plus complète de l'activité. Le basculement est l'un des moments de cette progression.

Ce paradigme rend compte de la genèse de tous nos gestes, des plus simples (ouvrir une porte) aux plus complexes (jouer quelques notes au violon).

Songeons à ce dernier exemple. Le violoniste a fourni un premier travail d'intégration en apprenant à tenir l'archet et à produire des sons; un autre en apprenant les positions de la main gauche et les passages de l'une à l'autre; un autre en réussissant à coordonner le jeu de la main gauche avec celui de l'archet pour produire une suite de notes; un autre encore en parvenant à enchaîner les notes de façon à ce qu'elles produisent un motif, puis une mélodie entière, et qu'apparaisse l'expression musicale.

Comme c'est toujours le cas, ce travail d'intégration a progressé d'un niveau au niveau supérieur. Le violoniste n'a pu aborder le niveau supérieur que lorsque le geste du niveau inférieur était acquis, ou en passe de l'être. Il a pu se livrer au travail d'intégration du niveau supérieur dans la mesure où les gestes des niveaux inférieurs étaient devenus naturels et se faisaient comme d'eux-mêmes.

Cette progression vers le haut est allée de pair avec une ouverture grandissante vers le bas. À partir d'un certain moment, dans les profondeurs du corps° s'est formée l'émotion. Elle est montée dans le geste et l'a rendu émouvant. Quand le musicien accède à ces ressources-là, il acquiert aussi le pouvoir de parachever l'intégration de son jeu en donnant une unité vivante à une œuvre entière. Achèvement ultime : l'apparition du style, qui est la synthèse des ressources de l'artiste dans ce qu'elles ont de particulier.

Dans l'activité que le violoniste déploie quand il est maître de son art, il n'y a plus d'opposition entre nature et culture. La "culture" de la musique ne serait rien sans la "nature" du corps° qui la porte et l'anime, ni la "nature" du corps° sans la "culture" de la musique qui l'unifie et l'exprime. Il n'y a plus alors qu'une activité supérieurement intégrée.

À chaque étape de sa progression, l'activité consciente du musicien se concentre sur l'intégration qui est en train de se faire. Sa conscience embrasse autant que possible les divers mouvements appelés à s'unir. Quand le geste apparaît et qu'il devient naturel, elle s'étend peu à peu aux ressources plus amples qui doivent soutenir son jeu. Elle s'étend vers le bas, éclairant des régions plus reculées de l'activité du corps°. Le musicien devient progressivement *spectateur* de sa propre activité. Il la *voit* de mieux en mieux. Il la voit par l'effet d'une sorte de dissociation interne. Cette vision interne est un phénomène que nous pouvons observer dans tous nos gestes, même les plus simples.

Nous avons de la peine à concevoir ce phénomène parce que "voir" signifie dans notre esprit "appréhender un objet du dehors, à distance". Or ici, la dissociation n'est pas l'effet d'une séparation dans l'espace. Elle résulte d'une réverbération qui se fait au sein de notre activité et par laquelle notre activité, ou plus exactement : une part de cette activité, devient sensible à elle-même. Chacun peut le constater en plongeant en lui-même. Il faut qu'il ferme les yeux pour *voir* ainsi, car la lumière du jour éblouit.

La progression du violoniste était un exemple. L'apprentissage du langage en est un autre. Pour parler, il a fallu que nous apprenions à contrôler notre souffle ; à former les sons de notre langue maternelle ; à les assembler pour former des mots et à donner un sens à ces mots ; à former des phrases et à saisir le sens qu'elles prennent dans leurs rapports avec d'autres phrases, dans les jeux du langage que nous pratiquons avec les autres ; à les compléter par le ton, le geste et l'expression du visage ; à comprendre ce que nous dit notre interlocuteur, en reproduisant en nous ses paroles ; à suivre son raisonnement sans perdre le fil de notre propos ; à solliciter notre mémoire pour qu'elle nous fournisse à point nommé les données nécessaires, etc. Dans l'usage de la parole, nous faisons tout cela en même temps. Nous y sommes parvenus par un travail d'intégration qui nous a pris plusieurs années, durant notre enfance. Il a fallu que nous fassions concourir à la production de la parole plus d'une demi-douzaine d'organes qui avaient tous une fonction première indépendante : diaphragme, poumons, cordes vocales, cavité buccale, dents, lèvres, langue, cavités de résonance situées dans le crâne, les oreilles qui contrôlent à mesure la qualité des sons émis. L'intégration s'est élevée par paliers vers une complexité toujours plus grande. À chaque étape, nous avons pu nous concentrer sur une tâche nouvelle parce que l'activité du palier précédent ne nous coûtait plus d'effort.

L'activité que déploie l'homme qui parle est étonnante, surtout lorsqu'il dit des choses qui se forment en lui sur le moment, dans les profondeurs de son corps°. Nature et culture ne font plus qu'un dans ces instants d'activité supérieurement intégrée.

6. Je ne demande pas qu'on abandonne en faveur de cette nouvelle définition du corps les idées du corps qui nous sont habituelles. Nous en avons de toutes façons plusieurs : celles du corps représenté par la photographie et la peinture ; du corps décrit dans son anatomie ; du corps d'autrui, perçu comme la manifestation d'une personne, de ses sentiments, de ses intentions ; du corps propre, le nôtre, réalité intime qui fait le fond même de notre existence. Nous assemblons tout cela dans une notion composite où nous mettons en outre l'idée de la matérialité de la chose et de son unité. Je me borne à placer à côté de cette notion courante une notion différente, celle du corps° comme activité – comme *de l'activité* qui, par moments, devient en partie sensible à elle-même, c'est-à-dire consciente.

Cette notion a plusieurs vertus. Elle est d'abord le moyen d'appréhender et de réunir des données de notre expérience qui le plus souvent nous échappent. Elle nous permet ensuite de nous représenter l'ensemble de notre expérience de façon cohérente. Elle nous libère du dualisme qui oppose le corps et l'âme, la matière et l'esprit, la conscience et l'objet. Elle le fait à la condition, toutefois, que le changement de point de vue soit complet et que nous nous représentions l'activité comme le fond commun de tous les phénomènes, en nous et hors de nous. Autrement dit : que nous fassions d'elle la catégorie la plus générale et lui donnions la place qu'on a attribuée à "l'Être", à "l'existence" ou à la "matière" par exemple. Ces termes premiers sont difficiles à définir, mais ils sont logiquement nécessaires. Le parti que nous prenons en faveur de l'un plutôt que des autres détermine toute la suite de nos raisonnements.

Dans le choix que je fais en faveur de "l'activité" s'exprime une intuition proche de celle que Spinoza exprime dans *L'Éthique* : "Il est dans la nature de la raison de percevoir les choses *sub specie aeternitatis*", dit-il, c'est-à-dire *du point de vue de l'éternité* ou *dans leur éternité*, en d'autres termes : *dans leur existence toujours présente.** Je propose de considérer toute chose *sub specie activitatis*, "en tant qu'activité".

Mais si l'on adopte ce point de vue, se dira le lecteur, si l'on considère la réalité entière comme *de l'activité* et le sujet comme *de l'activité* qui devient par moments consciente d'elle-même et du monde, ne va-t-on pas se priver de tout repère stable ? Je lui répondrai que ses repères anciens vont en effet vaciller ou disparaître, ou seront du moins mis en suspens tant qu'il regardera les choses ainsi. Mais, en adoptant ce point de vue, ajouterai-je, il développera une connaissance nouvelle de la réalité et disposera de repères d'un genre différent : *les lois de l'activité*.

La loi de l'intégration en est une : notre activité est susceptible d'intégration, telle est l'une de ses propriétés. Elle connaît des transformations qualitatives à mesure qu'elle prend des formes de plus en plus intégrées ; c'en est une autre. De telles lois nous serviront, en quelque sorte, d'instruments de navigation.

II

7. Au café, j'éprouve un bonheur particulier quand une idée nouvelle trouve son expression juste. La satisfaction est double : je découvre *ma* pensée et je sais que, grâce à la forme qu'elle a prise, je vais pouvoir la conserver pour un usage ultérieur.

En fait, dans ces moments-là, il se produit deux passages : de l'idée au langage, du langage à l'écriture. L'idée est d'abord une manifestation incertaine à laquelle le langage confère une forme définie et stable, et en même temps une certaine permanence : je retrouverai l'idée en me rappelant la forme qu'elle a prise dans le langage. L'écriture garantit ensuite cette permanence. Grâce à l'écriture, je retrouverai l'idée même si ma mémoire me trahit. Par cette double transformation, l'idée accède à la durée.

Dans le cas du geste, le travail d'intégration aboutit à un acquis définitif. Une fois que j'ai mis au point un geste, je le possède pour toujours. L'idée naît aussi d'un phénomène d'intégration, mais risque de se défaire rapidement si elle ne trouve pas une forme stable dans le langage, laquelle risque de se perdre à son tour si elle n'est pas conservée par l'écriture. Dans le domaine de la pensée, le processus d'intégration a besoin d'un double artifice pour avoir un effet durable.

Ce double artifice rend possible la réflexion soutenue, qui consiste à réexaminer et combiner les idées qu'on a eues et à les améliorer, ou à en former de nouvelles à leur suite. Ou plutôt à *laisser s'en former* de nouvelles, puisque c'est l'activité du corps° qui les produit.

Mais revenons au premier passage, qui mène de l'idée au langage, et d'abord de l'idée au *mot*. Nous découvrons alors deux choses : 1. que le mot confère à l'idée une forme définie, stable et plus ou moins permanente ; 2. que *le mot crée la chose*.

Pour saisir ce fait capital, observons d'abord comment se forme le sens d'un mot. Il se forme par *assemblage*. Notre corps°, qui conserve en lui d'innombrables traces de sensations, de perceptions, de mouvements, de gestes, d'actes, de situations, etc., possède le pouvoir de *combiner* ces éléments. Il a celui de réveiller les combinaisons qu'il a produites antérieurement et d'en tirer de nouvelles. Il produit par intégration des synthèses qui, rapportées à des mots, forment le sens de chaque mot. Ces synthèses ne sont pas nécessairement cohérentes. Qu'on songe au sens habituel du mot "corps", évoqué tout à l'heure : nous y mettons des éléments de l'expérience qui ne tiendraient jamais ensemble s'ils n'étaient placés sous l'autorité d'un même mot.

Mais comment se produit une telle *synthèse*? Le terme semble y répondre puisqu'il dérive d'un verbe grec qui signifie "mettre ensemble", mais il n'explique pas *comment*, d'éléments épars, surgit l'unité. Le fait est que l'apparition de l'intuition unifiée que nous nommons "sens" *ne s'explique pas*. Elle est un phénomène premier dont nous sommes témoins, voilà tout. La même chose vaut pour la *compréhension*. Le terme indique qu'elle consiste à "prendre ensemble" des éléments divers, mais n'explique pas *comment* naît la compréhension proprement dite ou, en d'autres termes, *comment* nous apercevons à un moment donné les rapports par lesquels ces éléments s'assemblent pour former un tout. Ce saut qualitatif, nous pouvons seulement le laisser advenir et le décrire jusqu'à un certain point. Nous pouvons dire que nous *voyons* subitement ces rapports ou que, de la juxtaposition des éléments, se dégage soudainement une sorte d'*image*.

Je propose d'appeler "imagination" la faculté que nous avons de produire en nous, sans que nous sachions comment, des "images" de ce genre. Dans cette acception, "l'imagination" n'est plus la faculté de susciter en nous des visions quelconques mais celle de produire, à partir d'éléments épars, une synthèse imaginaire porteuse d'une signification – que ce soit le sens d'un mot ou certains rapports entre les choses. Notons que le mot "intelligence" est voisin du mot "compréhension" puisqu'il vient du verbe latin *intelligere*, "lier entre elles diverses choses".

De ces réflexions découle une conséquence pratique. Quand nous rencontrons un mot dont le sens est nouveau pour nous, notre imagination doit se livrer à un travail imprévu. Elle doit *créer* ce sens qui n'existait pas, ce qui demande du temps, parfois beaucoup. Elle doit faire de même quand un auteur juge nécessaire de donner un sens nouveau à un mot familier, comme je le fais ici pour "l'activité", "l'imagination" et surtout le corps°. La brièveté de ce petit ouvrage ne doit pas faire illusion : il sera vite lu, mais le travail de l'imagination auquel il invite exigera patience et longueur de temps.

8. Mais une fois qu'un mot se joint à un sens, c'est-à-dire à une synthèse imaginaire formée à partir de l'expérience, comment *crée-t-il la chose* ? Il le fait par un mécanisme que l'on peut observer partout et toujours, dès lors que le langage existe, mais dont nous prenons rarement conscience, et que j'appellerai

“l’objectivation”. Je désigne par ce terme l’opération involontaire par laquelle, d’une synthèse imaginaire désignée par un mot, nous faisons une chose en soi, supposée exister objectivement *telle que nous l’imaginons*.

Cette opération a l’air simple lorsqu’on la définit ainsi, mais elle est en réalité d’une grande complexité, qui la rend quasiment impénétrable. On peut toutefois en distinguer les principaux ressorts.

Elle résulte d’abord du rôle stabilisateur du mot, qui confère à la synthèse imaginaire une permanence relative. Elle résulte ensuite de la rencontre de cette synthèse et du phénomène auquel elle renvoie, tel qu’il est appréhendé par mes sens. Quand les données sensorielles qui me parviennent de l’extérieur correspondent à peu près aux éléments de ma synthèse imaginaire, les deux se compénètrent et forment un alliage. Plus rien ne semble pouvoir séparer dans mon esprit la chose que je perçois, celle que j’imagine (ou conçois) et celle que je nomme par le mot, de sorte que l’objet ainsi formé me semble exister par lui-même. Je doute d’autant moins de son existence objective qu’en outre je lui prête la spatialité et le sentiment d’exister qui sont inhérents à l’activité de mon corps° du fait qu’elle est sensible à elle-même. Ce que nous appelons “les choses” résulte de cette très complexe alchimie.*

Mais ce n’est pas tout, car l’objectivation est ensuite renforcée par le consensus social dont font l’objet les *choses*. Nous ne doutons pas facilement de l’existence de celles auxquelles tout le monde croit autour de nous. Nous avons besoin d’y croire pour nous entendre avec les autres et vivre dans le même monde qu’eux. Sans ces *choses*, nous ne vivrions pas dans un *monde* partagé, stable et familier, mais dans une *réalité* toujours mouvante et toujours étrange, dans laquelle nous ne reconnaîtrions plus rien de façon certaine et sur laquelle nous aurions la plus grande peine à nous entendre avec autrui.

Je fais à dessein une distinction entre “monde” et “réalité”. J’entends par *monde* l’ensemble de *choses* parmi lesquelles nous vivons, créées par le langage et l’objectivation au sein de la réalité, et par *réalité* tout ce qui existe en nous et hors de nous, indépendamment et au-delà des formes créées par l’objectivation et le langage.

Cette distinction fait comprendre qu’au sein d’une réalité une et indistincte, nous puissions vivre dans des mondes *différents*. Le fait est que diverses sociétés, diverses communautés au sein de ces sociétés, voire diverses personnes peuvent vivre dans des mondes différents, voire incompatibles entre eux, tout en croyant chacune à l'existence objective de son monde. Il faut avoir percé à jour le mécanisme universel de l'objectivation, lié au langage, pour s'expliquer cet état de fait. Sans le langage, il n'y aurait pas de pluralité des *mondes*.

Cette critique de l'objectivité des "mondes" dans lesquels nous vivons et des "choses" dont ils se composent est le point le plus difficile de toute la philosophie. Elle paraît oiseuse au sens commun dont c'est le propre, partout et toujours, de ne douter ni du *monde* dans lequel il vit, ni des *choses* qu'il y trouve. Elle est le point le plus difficile, mais aussi celui qui a les plus grandes conséquences pratiques, car qui dit *pluralité des mondes* dit *conflit des mondes*.

De ces conflits, il s'en produit à toutes les échelles : deux personnes, deux communautés, deux religions s'affrontent parce qu'elles donnent aux mêmes mots des sens différents ou se fondent sur des synthèses imaginaires qui ne se rencontrent pas – d'où malentendus, dialogues de sourds ou différends plus graves, qui peuvent certes recouvrir des conflits d'intérêts ou des luttes de pouvoir, mais sont souvent le heurt de deux aveuglements. Les deux parties sont aveugles parce que chacune est convaincue que le monde est objectivement tel qu'elle le conçoit. Quand elle ne peut pas convertir l'autre, elle cherche à la détruire ou à la réduire de quelque autre façon. L'histoire humaine offre à cet égard un champ d'observation inépuisable.* On ne peut réellement résoudre ces conflits qu'en prenant conscience du mécanisme universel de l'objectivation : en comprenant que les mots font les choses, que le sens d'un mot est une synthèse d'éléments tirés de l'expérience et que notre imagination est toujours libre de tirer d'elle des synthèses nouvelles.

Tel est le point de vue exprimé dans un texte chinois ancien que l'on attribue traditionnellement à Tchouang-tseu, un philosophe mort vers 280 avant notre ère, mais qui est probablement postérieur et dû à un auteur resté anonyme. “Quand l'homme dort, y lit-on, ses esprits sont entremêlés, mais quand il se réveille, il s'ouvre au monde extérieur, s'attache à ce qu'il perçoit et se laisse chaque jour entraîner dans de vains combats”. Pourquoi ? Parce que chacun “arrête son esprit”, se soumet à ses idées arrêtées et “défend ce que l'autre rejette, rejette ce que l'autre défend”. Le remède ? “Y voir clair”, c'est-à-dire percer à jour le mécanisme par lequel le langage crée les “choses” et nous fait croire qu'elles sont telles que nous les concevons. Car, dit cet auteur, “il n'y a pas de découpages prédéterminés dans la réalité et l'usage du langage est libre. C'est quand on a posé quelque chose (par un acte de langage initial) qu'un découpage apparaît". "Le Sage, conclut-il, ne se laisse pas entraîner dans cette voie-là, mais se règle sur qui advient. Il adapte son langage aux circonstances". J'ai donc un répondant en Chine ancienne.*

La critique de l'objectivité a une autre grande conséquence. Elle nous amène à déjouer *pour nous-mêmes* les pièges de l'objectivation, à nous déprendre du "monde réel" quand il devient une prison et à retrouver en nous la faculté de former, ou de *laisser se former*, à partir de notre expérience et selon nos désirs ou nos besoins, des synthèses qui donnent aux mots un sens nouveau et changent par conséquent les "choses". Elle nous donne la faculté d'en abolir tout simplement certaines, quand s'est avérée leur inanité.

9. Pour déjouer le piège de l'objectivation, il faut aussi comprendre qu'elle est certes une opération instantanée, au moment où une "chose" se crée dans notre esprit, mais qu'elle devient ensuite une *activité continue*. Une fois que les "choses" ont pris forme, en effet, nous maintenons par une activité soutenue leur existence supposée. Par un effort continuel dont

nous n'avons pas conscience, nous maintenons en l'état le "monde" familier dans lequel nous vivons et qui est pour nous le monde réel.

Nous nous en apercevons quand cette activité est momentanément prise en défaut. Exemple : je me promène, j'aperçois à quelque distance un moineau, j'éprouve un sentiment d'étrangeté parce qu'il ne bouge pas et je comprends mon erreur : il s'agissait d'un bout de bois. Ce genre de méprise révèle de quoi est faite une "chose" : de la rencontre de données sensorielles et d'une idée ou d'un mot – qui peut ne pas être le bon. Ma réaction montre combien je supporte mal l'incertitude et avec quelle hâte je cherche à rétablir l'objectivation en cas de défaillance. Nous avons besoin d'évoluer dans un monde fait d'objets reconnaissables. Chacun peut observer ce besoin le matin quand il se réveille : il s'empresse de ressusciter le "monde" et les "choses" qui lui sont familières et de reprendre l'activité par laquelle il les fera exister durant la journée.

Les ouvrages d'Henri Michaux sur les effets des drogues sont particulièrement instructifs à cet égard.* Ils décrivent les "dérèglements de tous les sens" qu'induisent certaines substances et font comprendre, *a contrario*, le véritable miracle qu'est le fonctionnement normal de l'esprit. Mais il n'est pas besoin de drogues : il suffit d'observer les désordres que la fatigue ou l'ivresse provoquent dans notre rapport à la réalité, entre autres.

Nous pouvons aussi prendre conscience du rôle que l'objectivation joue dans notre vie quotidienne en nous livrant à certaines expériences, par exemple en modifiant son intensité et en observant les conséquences que cela entraîne. C'est un jeu auquel j'aime me livrer. Je m'installe à une terrasse de café, en un lieu que je choisis pour son ouverture sur l'espace. Une fois tranquille, je laisse progressivement faiblir en moi la volonté de maintenir le monde dans son état normal. Le langage s'éloigne, n'est bientôt plus qu'un souvenir et disparaît tout à fait. Je m'abandonne au pur plaisir de regarder. Non plus de *voir* tel ou tel objet connu, mais de *regarder*, c'est-à-dire de m'ouvrir à la réalité tout entière. Un grand calme me gagne. À mesure qu'il s'approfondit, le visible se met à flotter, s'allège et finit par se dissoudre en énergie pure. Je garde cependant le pouvoir de procéder à de subtils réglages. Je puis par exemple revenir en deçà de cette dissolution complète et me placer dans un entre-deux instable, à mi-chemin de la *réalité* indistincte et des *choses* connues. Il m'arrive dans ces moments-là de percevoir le bavardage de mes voisins comme un gazouillis familier.* J'ai perdu l'idée que le langage se réfère habituellement à des *choses*. Parfois, cependant, alerté par l'un de leurs propos, je rétablis la fonction du langage et retrouve instantanément les *choses* et le *monde*. J'étais indifférent, me voilà de nouveau intéressé, me représentant ce dont on parle à côté de moi. L'objectivation a repris.

Mon intérêt pour la peinture est lié à ce genre d'expérimentation. Les peintres sont en premier lieu des gens qui *regardent* et modifient leur regard pour mieux voir ou voir autrement. Ils laissent se former en eux des synthèses visuelles qu'ils fixent dans leurs œuvres. Ils placent sur la toile des touches destinées à susciter dans notre imagination des synthèses semblables aux leurs. Nous verrons "à la manière de", devant leurs toiles et parfois devant la réalité même. Les grands peintres nous enseignent comment se forment en nous les *mondes* que nous voyons. Ils nous introduisent dans le laboratoire où s'élabore notre rapport au visible.

Max Ernst nous y introduit d'une manière particulière. Il joint des légendes énigmatiques à des images troublantes. Par ces rapprochements, il fait appel au mécanisme qui, par la rencontre d'images encore indécises et de mots, produit en nous les *choses*, mais il fait en sorte que le processus n'aboutisse pas et que nous restions en suspens, à mi-chemin d'un *monde* en formation et d'une *réalité* qui reste insondable. Il semble s'être inspiré de Goya, qui tire le même effet de la juxtaposition d'un spectacle inquiétant et d'une légende laconique, en particulier dans les *Caprices* et les *Désastres de la guerre*. De ce fait, ces eaux-fortes suscitent, plus puissamment qu'aucune description détaillée ne pourrait le faire, un sentiment de terreur ou d'émerveillement.

10. Les habitués du laboratoire le savent bien : dans ses profondeurs, l'activité du corps° produit sans cesse des images incertaines et mouvantes qui rencontrent ou ne rencontrent pas les mots. Dans le rêve, elles ne les rencontrent généralement pas et se défont comme elles se sont formées, dans l'instabilité qui leur est propre. Mais j'ai noté que, quand des mots apparaissent à l'intérieur d'un rêve, je m'en souviens toujours de façon précise. J'ai aussi remarqué que quand je note un rêve, ce qui me paraît d'abord à peine saisissable se transforme sans difficulté en un récit articulé, aux contours nets, qui dit l'essentiel. Ce pouvoir fixateur des mots et des phrases m'étonne chaque fois.

Il se manifeste en beaucoup d'autres circonstances. Songeons à ce qui se passe quand nous donnons un prénom à un enfant. Dans ce prénom se concentre à partir de cet instant tout ce que nous découvrons et ressentons dans notre commerce avec lui. Le nom d'une femme aimée ou d'un auteur qu'on admire exprime aussi une synthèse de cette nature, qui va s'enrichissant avec les années. Il en va de même pour le nom des villes, par exemple. Que ferais-je des souvenirs que j'ai de Venise et des réflexions qu'elle m'a inspirées, si je ne savais le nom qu'elle porte ?

Certains termes abstraits acquièrent avec le temps une richesse de sens comparable parce qu'ils expriment des synthèses analogues. Pour moi, désormais, les mots "corps" et "activité" sont de cette sorte. Ce sont des notions saturées de sens et en même temps réfléchies, donc des notions philosophiques.

Nous éprouvons aussi le pouvoir des mots quand ils viennent à nous manquer. Cela m'arrive de plus en plus souvent. Parfois, je suis même pris de panique à l'idée que je pourrais perdre l'usage du langage. Je pressens que je serais privé de tout repère, livré à une réalité devenue inconnaissable. Giacometti semble avoir connu cette panique à la fin de sa vie, lors de son retour de New York, au milieu de l'Atlantique. Il note ceci, après coup : "Et puis quoi dire au milieu de cette mer qui n'a pas de fin, *qui n'a pas de nom*, au milieu de cette eau noire dans laquelle je pourrais sombrer, dans laquelle je pourrais être mangé, dévoré par des poissons aveugles et *sans nom*."*

Mais il y a vingt façons d'entrer dans le langage et d'en sortir. Nous en sortons le plus naturellement du monde quand nous exécutons des gestes qui exigent de la concentration. Quand je verse du vin ou que je joue du violon, je ne suis plus dans le *monde* auquel le langage donne sa forme, mais dans une réalité structurée par le geste et les lois de la physique que j'utilise à mon profit.

C'est le mérite particulier de mon auteur chinois d'avoir remarqué, d'abord que nous ne cessons d'entrer dans le langage et d'en sortir, ensuite que le monde n'est pas le même selon que nous sommes dans le langage ou hors de lui – ou plus exactement : qu'il n'y a de *monde* et de *choses* que lorsque nous nous servons du langage, ou l'avons à l'esprit, et que ce *monde* et ces *choses* familières s'évanouissent dès que nous passons à d'autres formes d'activité.

Cet homme me semble avoir eu l'intuition la plus juste du rapport entre le langage, le *monde* des *choses* et la réalité. J'y ajoute des intuitions qui complètent la sienne : l'idée de *l'imagination* qui produit des synthèses, celle de *l'objectivation* qui en fait des *choses* existant supposément telles que nous les concevons, enfin celle de *l'activité* comme catégorie fondamentale. Cette catégorie permet de mettre en rapport les différentes formes de notre activité, en particulier l'activité qui objective le monde, à travers le langage, et les formes d'activité qui ne le font pas. Cela lève la difficulté majeure sur laquelle risquait de buter la vision que je propose. On ne saurait comprendre cette vision, en effet, si l'on oppose, comme la raison commune le fait aujourd'hui, notre activité d'une part et le monde objectif de l'autre. De mon point de vue, le *monde* et les *choses* auxquels nous croyons *sont produits par notre activité et sont compris en elle*. En dépit des apparences, ce que nous appelons la "réalité objective" n'est pas opposable à notre activité, car elle en procède. C'est l'activité qui est fondamentale.

Mais l'anonyme chinois fait un pas de plus. Il soutient que nous pouvons appréhender notre activité langagière du dedans et du dehors en même temps, et saisir à ce moment-là complètement sa nature. Pour comprendre cette idée, il suffit de se rappeler le geste simple évoqué plus haut. Quand je verse du vin dans un verre et que je suis parfaitement maître de ce geste, je puis m'en détacher intérieurement et en tirer une jouissance *esthétique*. Par ce dernier mot, j'entends deux choses : que j'apprécie la perfection formelle du geste, mais aussi, plus simplement, que je le *sens* et que, le sentant, je le *vois*. En lui donnant ces deux sens, je me rapproche de l'origine du mot, qui vient du grec *aisthesis* et qui a d'abord simplement signifié "sensation, perception, sentiment d'une chose".

Or il n'y a pas que nos gestes simples que nous pouvons appréhender ainsi. Nous avons vu que des formes d'activité plus complexes peuvent être perçues de la même façon. Quand le violoniste est entièrement maître de son jeu, il devient le spectateur de sa propre activité. Ce dédoublement peut aussi se produire quand je suis parfaitement maître de la parole. Par un degré d'intégration supplémentaire de mon activité, je m'en dissocie intérieurement et j'en deviens, pendant que je parle, le témoin émerveillé. Je ne saisis certes pas en même temps tous ses aspects, car elle est bien trop complexe pour cela. Mais, en me maintenant au-dessus d'elle, en équilibre instable, je puis observer successivement ses principaux ressorts. Je *vois* alors comment, par l'usage du langage et dans mes échanges avec autrui, au sein de la *réalité* je produis un *monde*. Selon mon auteur inconnu, j'atteins à ce moment-là le point ultime de la connaissance. Je le cite, sans plus commenter: "Quand le langage divise, il reste toujours de l'indivis.

Quand le langage distingue, il reste toujours de l'indistinct. (...) Le Sage préserve en lui la part de l'indivis, de l'indistinct, tandis que les hommes du commun s'enferment dans leurs démarcations et se prévalent chacun de sa vue particulière. C'est pourquoi je dis : ceux qui s'enferment dans le langage cessent de *voir*."*
Ils ne *voient* pas ce qu'ils font quand ils parlent.

Le langage nous donne le pouvoir de créer au sein de la *réalité* des *mondes* à notre mesure. C'est folie de croire qu'il peut *épuiser* ou *embrasser* la réalité. Dans ces formes douces, cette folie mène aux maux communs que sont l'enflure du discours, la dérive verbale, les raisonnements sans fin. Quand cette folie se fait dogmatique et veut imposer sa loi, elle est mortifère. Même sans connaître la gravité de nos maux actuels, notre auteur chinois serait tombé d'accord là-dessus.

11. L'intégration crée la puissance, par quoi il faut entendre : la puissance agissante. Telle est une autre loi de l'activité.

Nous y sommes tellement habitués que nous ne le sentons plus, mais un peu d'attention suffit à nous y rendre sensibles à nouveau : chaque geste, même le plus simple (ouvrir une porte), est une puissance agissante. Nous la sentons au moment de l'exécution du geste, nous la sentons même quand nous *pensons* au geste puisque y penser, c'est l'ébaucher en nous-mêmes. Tous les gestes et toutes les formes d'activité que nous avons conquises par un travail d'intégration sont des puissances agissantes et constituent, prises ensemble, la puissance de chacun de nous.

L'adulte est tellement accoutumé à disposer d'un répertoire de gestes bien rodés qu'il ne se rend pas compte du rôle fondamental qu'ils jouent dans sa vie quotidienne. Il ne voit pas qu'ils portent toute son activité, qu'ils en assurent le roulement. Il prend conscience de leur importance dans certaines circonstances, par exemple quand il se casse un bras et doit tout faire de la "mauvaise" main : il découvre que le travail d'intégration accompli autrefois est à refaire et mesure le travail que cela coûte. Il en prend aussi conscience quand il a l'occasion de mettre au point un geste entièrement nouveau. Cela m'est arrivé lorsque j'ai appris à manier le pinceau selon la technique chinoise traditionnelle, celle des calligraphes. Il faut de la volonté pour créer ce geste contre nature, puis une longue pratique pour le rendre naturel et susceptible de recevoir et transmettre toutes les impulsions venues du corps° et de sa dimension d'inconnu. Je donne cet exemple parce que cet apprentissage a été pour moi l'occasion d'observer de près la genèse du geste.*

L'attention portée au geste conduit à d'autres découvertes. Examinons ce qui se passe quand je donne un coup de marteau. Je place la masse du marteau en un certain point de l'espace, je la lance doucement vers l'avant, je lui imprime une accélération soudaine en infléchissant sa trajectoire vers le bas et je mets à profit la fin du parcours, vertical et quasiment rectiligne, pour viser le clou et augmenter autant que possible, d'une dernière poussée vigoureuse, la force de la frappe. La stroboscopie révèle la perfection de la courbe décrite par le marteau et sa formidable accélération.

Cette description ne rend pas encore compte de la complexité de ce geste. Quand je l'observe du dedans, je m'aperçois qu'il a d'autres dimensions. Il a une assise. Pieds et jambes assurent la stabilité et me donnent le sens de la verticale. Une inspiration profonde, retenue un instant dans les poumons, se charge de porter le poids de ma tête, de mes épaules et de mes bras. Mes yeux fixent le clou tandis que mon activité se rassemble dans le geste naissant et me donne la mesure de l'espace. La main gauche, qui repose sur la planche ou tient le clou, fournit par l'intermédiaire du bras des indications spatiales supplémentaires. La perception intérieure du mouvement va guider le geste et sera la première informée que le clou s'est enfoncé dans le bois.

On pourrait pousser encore plus loin cette dissection du geste, en entrant dans le détail de l'anatomie, de la physiologie et des lois de la physique. Mais ce qui doit retenir l'attention, c'est notre faculté de l'appréhender de l'intérieur et dans son unité, autrement dit de le *voir* du dedans au moment où nous l'exécutons, et la faculté que nous avons en outre de le voir de façon de plus en plus précise et complète, si nous le voulons, autrement dit de rendre notre activité de plus en plus consciente d'elle-même.

Mais d'où nous vient, parfois, cette volonté de la rendre plus consciente d'elle-même ? Ne dois-je pas simplement dire qu'elle *devient* de plus en plus consciente, et qu'elle le devient parce que j'ai parfaitement maîtrisé le coup de marteau, qui est devenu pareil à un jeu ? Portée à ce point-là, l'intégration crée un sentiment de gratuité ludique et rend nette et vive la visibilité intérieure présente plus obscurément dans tous nos gestes. C'est ainsi que naît la conscience spectatrice qui assiste émerveillée et muette à l'activité du corps°.

Lorsque j'atteins cette conscience de mon action, ou de mon activité, une question nouvelle se pose. Je suis amené à me demander *qui* agit. Lorsque la conscience se fait pure spectatrice, ne devient-il pas évident que c'est le corps° qui agit, de son propre gré et pour son propre compte ? Et ne découle-t-il pas de là que le rôle directeur que la conscience s'attribue le plus souvent est une illusion ? Ne s'ensuit-il pas que la conscience que nous avons de notre propre activité est un effet plutôt qu'une cause ? Nous nous demandons soudain où a été prise la décision de planter un clou. Elle a certes été une décision consciente, mais la conscience en a-t-elle été la source ? N'est-elle pas plutôt née, *dans les profondeurs du corps°*, d'une combinaison de réminiscences, de besoins et de calculs dont la conscience n'a fait qu'enregistrer la résultante ? Ne se pourrait-il pas que tout ce que la conscience croit décider se décide en réalité dans le corps° et qu'elle ne soit jamais que le reflet (variable et intermittent) de ce qui se passe au-dessous d'elle ?

Cette vision s'accorde avec l'idée que tout dans la nature obéit à la loi de la causalité et que nous sommes soumis, comme la réalité tout entière, au plus strict déterminisme. Après tout, il n'y a pas de raison que l'être humain fasse exception à l'enchaînement universel des causes et des effets. Tout semble indiquer que notre activité, y compris dans sa part consciente, est *entièrement déterminée.* Dans le spectacle de mon activité, rien ne signale l'existence d'un "je" qui serait la cause du geste – de mon coup de marteau par exemple – et pourrait être considéré comme un sujet souverain. Quand je donne mon coup de marteau, c'est parce que le corps° en a éprouvé le désir ou le besoin. Le geste *s'est produit.*

12. Mais si nous sommes déterminés, dans nos actes et dans toute notre activité, par des forces qui échappent à la conscience, ne s'ensuit-il pas que la liberté n'est qu'un fantôme ? Qu'elle est un leurre dont il faut nous débarrasser ? Non, la conséquence est qu'il est nécessaire de repenser cette notion, et d'abord d'observer.

Ce que je note, c'est que j'éprouve à certains moments un *sentiment de liberté.* C'est le cas quand je donne un coup de marteau bien ajusté. C'est le cas dans tous mes gestes efficaces, lorsque j'atteins mon but avec la plus grande économie d'énergie et la plus grande efficacité possibles. C'est le cas lorsque l'intention et l'exécution sont simultanées, que l'effet est immédiat. Le geste réussi a quelque chose de miraculeux.

Ce sentiment de liberté est lié à la puissance agissante. Comme c'est l'intégration qui produit la puissance agissante, on peut dire que c'est elle qui produit cette forme de liberté. Elle crée la liberté d'accomplir le geste ou de l'imaginer.

Dans certaines circonstances, j'ai le sentiment que ma liberté est bafouée par autrui. Quand je fais le vide pour qu'une idée se forme, par exemple, et que quelqu'un interrompt le travail qui se fait en moi à ce moment-là, il me prive de la puissance nouvelle qui devait en être le fruit et je ressens cela comme une atteinte à ma liberté. Un enfant tente de verser de l'eau dans un verre, il accorde ses forces pour produire le geste. Si vous le bousculez à ce moment-là, vous le privez de la puissance d'agir qu'il était en train de créer par ses propres moyens. Vous attentez à sa liberté. Dans ces cas-là, le sentiment de liberté n'est pas un concomitant du geste lui-même, mais du processus d'intégration qui mène au geste. Je l'éprouve quand le processus se développe sans interférence extérieure et se poursuit selon sa propre loi jusqu'à son accomplissement.

Je note aussi que, quand je verse du vin dans un verre, je le fais *parce que je le veux bien*. Personne ne peut m'y forcer. Si je le faisais sous la menace, ce serait encore avec mon assentiment, car c'est à moi qu'il revient de rassembler mes forces de façon telle que l'acte ait lieu. Mon acte est libre en ce qu'il dépend entièrement de moi. Il en va de même quand je fais le vide en moi pour que naisse une idée. Là non plus, personne ne peut me contraindre. L'opération s'accomplit en moi selon sa propre nécessité et me donne par là un sentiment de liberté.

J'observe que le sentiment de liberté est lié aux moments où je deviens *cause efficiente* – non pas cause involontaire d'un effet quelconque, mais cause *efficiente*, résultant d'un processus d'intégration qui s'est poursuivi en moi jusqu'à son plein accomplissement. Ce sont les moments où, de ce fait, quelque chose de nouveau se produit dans l'enchaînement universel des causes et des effets. Nous nous sentons libres quand notre activité se mue en cause efficiente et produit du nouveau.

Quand je verse du vin dans un verre ou donne un coup de marteau, la nouveauté n'est pas grande. Quand je laisse se former en moi une idée, elle peut être nouvelle pour moi, mais pas pour d'autres. Il se peut aussi qu'elle soit véritablement nouvelle. Quand je parle à d'autres, il peut m'arriver d'être inspiré et de tenir des propos qui frappent par leur nouveauté. Plus l'activité intégrée puise à des sources diverses et profondes, plus elle est susceptible de produire non seulement des effets imprévus pour moi ou pour d'autres, mais aussi des effets nouveaux dans l'absolu.

C'est le propre de l'homme de pouvoir être cause efficiente, à des degrés divers, et de produire du nouveau, qui l'étonne lui-même. Cela lui arrive parce qu'il a en lui une dimension d'inconnu et qu'il s'y forme des phénomènes d'intégration dont il ne connaît que très partiellement (ou pas du tout) les sources. Et c'est pour cette raison qu'il a été et restera toujours pour lui-même une énigme.

13. Cette énigme est insondable, mais il peut la cerner jusqu'à un certain point en étudiant les lois de l'activité. L'une d'elles est que, pour que le nouveau émerge, il doit *laisser faire le corps*°.

Lorsque je cherche un mot, je me mets un instant dans un état d'absence, je cesse de me mouvoir, mon visage se vide de toute expression, mon regard s'arrête. Quand le mot se présente, je reviens à moi et je reprends la conversation. Qu'ai-je fait? J'ai laissé agir le corps°.

Je cherche à laisser éclore une intuition, à concevoir une idée qui me manque, à résoudre un problème. Je cesse de bouger, ma respiration s'apaise, je ne vois plus rien, je ferme peut-être les yeux. Dirons-nous que je réfléchis? Je confie au corps° le soin d'accomplir le travail nécessaire et veille simplement à ce que le travail se fasse.

Je puis m'aventurer plus loin dans cette voie, non plus pour trouver un mot ou la solution d'un problème, mais afin d'aller vers l'inconnu. J'adopte une posture qui m'ôte l'envie de bouger, je laisse ma respiration s'apaiser. Le monde qui m'entoure se retire à la périphérie du vide qui grandit en moi. Ce vide n'est pas un manque, mais une plénitude. Il est l'activité du corps° qui se perçoit elle-même sous une forme égale et douce. Si je ferme les yeux, on pensera que j'ai sombré dans un sommeil profond. Si je les ai gardés ouverts, on aura une impression plus étrange. Si l'on me parle et que je réponds, tout en restant absolument immobile, on s'apercevra que je suis resté entièrement présent. J'entends ce qu'on me dit et je réponds si je le veux. Un autre signe de ma présence d'esprit est que je puis revenir à moi quand cela me convient.

Lorsque je laisse le vide grandir en moi, il est fréquent qu'il s'anime et que des images surgissent. Si je reste impassible, elles faiblissent et finissent par s'évanouir. Si je me laisse distraire par elles, au contraire, elles me ramènent invariablement à l'agitation de la vie quotidienne. Une troisième attitude est possible : je décide de les considérer attentivement, mais *comme si elles ne me regardaient pas*. Il se produit alors quelque chose de remarquable. Le spectacle auquel j'assiste se fait plus puissant et plus précis. Cette vision interne est celle du rêve mais, dans le rêve, le corps° développe le plus souvent une activité anarchique. Quand la conscience veille, par contre, son activité se fait plus cohérente, s'oriente dans un certain sens et cherche à conjuguer de la meilleure façon possible les forces qui la travaillent. J'assiste à des effondrements partiels, des renversements, de longues attentes, des reculs, des avancées, des dénouements. Un processus d'intégration s'accomplit sous mes yeux. Tout me porte à croire qu'il se développe *sous l'effet* de l'attention de la part consciente de mon activité, mais je ne puis m'expliquer pourquoi.

Ce qui est certain, en revanche, c'est que les transformations dont je suis le témoin sont des transformations réelles, dont les conséquences se feront sentir ensuite dans la vie pratique. Ce sont des événements qui changeront ma façon de sentir et d'agir. L'activité du corps° se sera réorganisée d'elle-même. C'est en elle que se situe la source de tous nos renouvellements.

Socrate a sans doute eu une connaissance intime de ces mécanismes. Il en tirait parti quand il restait planté quelque part pendant un jour et une nuit pour résoudre un problème ou quand, se rendant à un banquet, il s'arrêtait sous un porche voisin et ne bougeait plus pendant des heures. "Laissons-le, il va finir par arriver, disait l'un des convives ; cela le prend de temps à autre, un peu n'importe où."* Socrate faisait, à sa façon patiente et têtue, ce que chacun de nous fait en d'innombrables occasions : il laissait agir le corps°.

Socrate est un cas extrême. L'aptitude à laisser agir le corps° varie beaucoup. Certains en sont incapables alors qu'ils en auraient le plus grand besoin, lorsqu'en eux des forces se combattent et se paralysent. Ils souffrent, l'angoisse les étreint, mais la peur les empêche de se laisser aller et de confier au corps° le soin d'accorder ces forces, aux prix des remaniements nécessaires. Le remède qui leur manque est toujours le même : retrouver le contact avec les pouvoirs du corps°. Le meilleur moyen de les aider est de les accompagner dans cette descente qui les effraie. La présence d'un compagnon exercé dans cet art de l'ouverture vers le bas et qui l'accomplit à leur côté, les rassure et leur donne la confiance nécessaire. Après quelque temps et parfois très vite, le changement s'amorce et mène à la transformation salutaire.

Tel est le principe d'innombrables thérapies pratiquées de tous temps et dans toutes les sociétés humaines. Qu'elles aient été inégalement développées et conçues de façons différentes, en termes magiques, religieux, philosophiques ou psychologiques, ne change rien à ce principe commun. C'est celui dont tire parti l'hypnose, si mal comprise et si mal nommée. Ce terme, formé au XIXe siècle sur *hypnos*, le "sommeil" en grec, est particulièrement mal venu parce que, dans ses formes principales, "l'hypnose" n'est pas un endormissement, mais une forme de veille. Elle est *la forme d'activité dans laquelle la conscience veille tout en laissant faire le corps*°.

Les formes, devrais-je dire, car, comme je l'ai montré dans ces pages, les formes d'activité dans lesquelles la conscience laisse faire le corps° sont nombreuses et partout présentes. C'est ce qui a conduit Milton Erickson* à regarder l'hypnose comme une dimension fondamentale de l'existence humaine. Il faut ajouter que les praticiens de l'hypnose rencontrent un phénomène qui contredit la définition que je viens d'avancer. C'est celui de l'amnésie : il arrive qu'après une séance thérapeutique, le patient ne se souvienne ni de ce qui s'est passé en lui, et dont il a été le témoin, ni des propos qu'il a échangés avec le thérapeute. Peut-être faut-il supposer que l'instance qui veillait en lui s'est déplacée si loin vers le bas que les transformations auxquelles elle a assisté restent hors de sa portée lorsque la conscience diurne est rétablie.

Je dois à François Roustang la découverte de l'hypnose. Il m'a révélé 1° qu'elle n'est pas ce qu'on croit (un moyen de manipulation), ni ce que son nom suggère (une sorte de sommeil), 2° qu'elle englobe des phénomènes qui sont fondamentaux et universels, mais que les idées qui dominent la culture européenne depuis la seconde moitié du XIXe siècle ont rendus étranges et inquiétants, parce qu'intellectuellement inassimilables.* Je me suis demandé s'il n'était pas possible, voire souhaitable, de partir de ces phénomènes pour remettre en question ces idées. Telle est l'une des voies qui m'ont mené de proche en proche à ce nouveau paradigme. “Il y a plus de choses au ciel et sur terre que ne l'imagine ta philosophie”, disait Hamlet.* L'étude de l'hypnose m'a convaincu *qu'il se produit plus de choses dans le corps*° *que n'en peut concevoir notre esprit* – à moins, justement, d'admettre le principe de l'intégration, la définition du corps° comme activité et de cette activité comme comportant une dimension d'inconnu.

14. Pour mieux connaître les lois de l'activité, observons aussi les *changements de régime*.

Il s'en produit à tout instant. J'écoute un ami qui me parle, je suis ce qu'il me dit, puis je décroche parce que je pense à autre chose : c'est un changement de régime. Je tombe de sommeil, mais j'entends encore sa voix : c'en est un autre. Je m'endors tout à fait : c'en est un troisième. Ou je l'interromps parce que des idées me viennent et que je veux me concentrer sur elles. Ces changements-là se font d'eux-mêmes. C'est l'activité du corps° qui passe d'un registre à l'autre.

Je ne définirai pas exactement ce qu'est un régime, ni combien il y en a. L'utilité de cette notion est de nous rendre attentifs à la variété de nos formes d'activité et aux passages de l'une à l'autre. Elle nous rend sensibles à *toutes* ces formes, à leurs enchaînements et leurs combinaisons – à la richesse *musicale* de notre existence.

Cette notion fait de nous de meilleurs observateurs, mais aussi des expérimentateurs. Elle nous invite à passer intentionnellement d'un régime à l'autre pour voir comment se modifie notre rapport à nous-mêmes et à la réalité. C'est par ce genre de passages que nous avons appréhendé le mécanisme de l'objectivation, l'entrée dans le langage et la naissance des *choses*, la sortie du langage et leur dissolution dans la *réalité*.

La notion de régime aide aussi à mieux saisir certaines lois de l'activité et à passer plus aisément d'un régime à l'autre lorsque ce passage est difficile. Quand je m'efforce d'accorder mes mouvements pour produire un geste, je suis dans un régime, celui du travail d'intégration ; quand le geste se forme et se produit de lui-même, je suis dans un autre, celui de la puissance d'agir. Cette formulation fait mieux comprendre la loi de l'intégration et le rôle qu'elle joue dans nos apprentissages qui sont, pour l'essentiel, des successions de passages d'un régime inférieur à un régime supérieur. Elle nous apprend à nous livrer aux efforts du travail d'intégration quand il le faut, et à laisser le corps° prendre le relais quand le moment est venu.

L'idée de changement de régime aide à mieux résoudre d'autres difficultés. J'ai le trac. Je suis paralysé parce que je suis dans un régime inférieur et que je dois accomplir un acte ou soutenir une activité qui n'est réalisable que dans un régime supérieur. Je suis censé accomplir quelque chose qui, dans mon état présent, n'est pas à ma portée, ce qui me met dans un rapport insupportable à moi-même. Je m'en tire à la fin, non par une transition, mais par un *saut* d'un régime dans l'autre. À l'instant, ce qui me paraissait impossible devient aisé.

Certains ont l'expérience de ce genre de saut. Un critique interrogeait une cantatrice qui se produisait dans un opéra de Mozart, à Aix-en-Provence, et lui demandait ce qu'elle faisait juste avant d'entrer en scène : Répétez-vous intérieurement l'air que vous allez chanter ? – Non, dit-elle, *je fais le vide*. Elle savait qu'elle devait laisser s'assembler en elle les forces qui allaient s'unir pour produire le chant. Tel est le paradoxe de ce que nous appelons la “concentration” : *vouloir que se fasse* quelque chose qui se fera indépendamment de notre volonté, au sein de l'activité du corps°.

Les passages d'un régime inférieur à un régime supérieur sont généralement discontinus. Quand je mets au point un geste, je ne l'ai pas encore en moi et ne puis par conséquent pas l'imaginer. Le travail d'intégration est une véritable recherche parce que je ne connais pas encore le phénomène qui doit en sortir. Je vois certes le geste exécuté par d'autres, mais il ne devient réellement intelligible que lorsque je le produis moi-même. Cette discontinuité se retrouve dans tous nos apprentissages, y compris dans le domaine intellectuel. Il y a discontinuité entre l'activité que je développe quand je cherche à comprendre et celle qui s'instaure lorsque je comprends. J'accède à un autre régime, j'entre dans un autre ordre.

Tel est le cas de la cantatrice quand elle se met à chanter. Elle laisse agir le corps° et le miracle s'accomplit, pour elle comme pour moi. Je suis saisi par son chant parce que l'activité supérieurement intégrée dont il naît suscite en moi une activité comparable. Mon bonheur vient de ce passage à un régime supérieur d'activité. La perfection de son art fait monter l'émotion, en elle comme en moi.

Je suis à ce moment-là en présence d'une "transcendance". Il n'y a pas de meilleur mot pour désigner un phénomène que la conscience perçoit comme supérieur à cause d'un écart entre régimes d'activité différents. Il est justifié de l'appliquer à tous les cas où s'observe une telle discontinuité. Nous dirons qu'un geste est un phénomène transcendant pour celui qui ne l'a pas encore en lui, que comprendre quelque chose est un phénomène transcendant pour qui ne comprend pas, que le chant de la cantatrice est transcendant pour moi qui l'écoute. Nous pouvons aussi concevoir une transcendance inversée : il est difficile de se mettre à la place de quelqu'un qui ne possède pas tel geste, n'a pas encore compris ou ne sait pas chanter. C'est pourtant la capacité d'accomplir en esprit cette régression dans un régime inférieur qui conditionne toute bonne pédagogie.

Ces phénomènes de transcendance sont inscrits dans la trame de notre existence et agissent dans nos vies comme le ferait un levain. Ils nous révèlent des formes d'activité supérieures aux nôtres et nous incitent à les rechercher pour nous-mêmes. Ils nous inspirent de la nostalgie quand ils nous paraissent trop éloignés de nous, ou même du désespoir quand nous pensons être incapables de jamais les atteindre. “Plus une chose a de perfection, plus elle est active et moins elle subit, et inversement plus elle est active, plus elle est parfaite”. Cette proposition, qui figure à la fin de *L'Éthique* de Spinoza et que j'ai découverte par hasard dans la bibliothèque de mon grand-père lorsque j'étais adolescent, ne m'a jamais quitté, de même que cette définition : “La Joie est le passage d'une perfection moindre à une plus grande perfection”*.

L'homme est un être qui diffère de lui-même de façon étonnante.

15. *L'acte* introduit une autre forme de discontinuité.

Je passe sur un pont, j'aperçois quelqu'un qui se noie, je me jette à l'eau et je le sauve. C'est un acte dont je ne me croyais pas capable. Il est né en moi, je lui ai obéi, j'en suis le premier surpris.

Que s'est-il passé ? Mon activité du moment a été interrompue par l'intégration soudaine de ressources plus nombreuses et plus profondes, qui a produit en moi une puissance d'agir inattendue. Nous sommes tous susceptibles d'accomplir de tels actes à cause de la dimension d'inconnu que possède le corps° et des phénomènes d'intégration qui peuvent s'y produire inopinément. Nous devenons subitement cause efficiente.

Je ne me suis jamais jeté à l'eau pour sauver une vie, mais un petit événement m'a marqué. J'étais installé à une terrasse du bord du lac avec un ami et sa femme qui étaient de passage à Genève avec leurs deux petites filles. Nous bavardions. Soudain, la mère est saisie d'effroi : la cadette, qui n'a pas trois ans, marche sur le muret qui borde la promenade et qui, de l'autre côté, domine de cinq ou six mètres le quai du port. Elle trotte, inconsciente du danger. Faut-il l'appeler ? Étant le seul des adultes à pouvoir me dégager sans difficulté et voyant que la fillette, toute à son affaire, ne nous regarde pas, je m'élance dans la direction opposée à la sienne, je décris une grande courbe et, revenant vers elle par derrière, toujours au pas de course, je la cueille. Elle ne m'a pas vu venir. Cela n'a duré qu'un instant. Les parents sont stupéfaits, je le suis aussi.

Cet acte a gardé pour moi le caractère d'un *événement*. Il m'a révélé une puissance d'agir que je ne me connaissais pas. Il a comme suspendu le temps. Je me suis rendu compte après coup de ce qui s'était passé, lorsque je m'en suis fait mentalement le récit. Il y a eu discontinuité pour la conscience, mais pas dans l'activité du corps°, qui est passée d'un régime d'activité à un autre, pour revenir ensuite au premier. Dans ces occasions-là se manifeste aussi le rapport paradoxal entre liberté et nécessité : j'ai agi librement en accomplissant un acte qui s'est imposé à moi de façon nécessaire.

De ces actes, il en est de toutes sortes. Un simple mot peut en être un s'il change le cours d'une vie ou si, dans un moment critique, il change le cours de l'histoire. Au début d'un essai resté inachevé, Kleist donne l'exemple d'un tel mot et se demande comment il a surgi. L'essai s'intitule *Que certaines idées nous viennent en parlant*.* En voici la première partie. J'ai d'abord tenté de suivre les tours et détours de sa syntaxe tourmentée, puis j'ai préféré un langage plus simple, avec une répartition en paragraphes qui n'est pas dans l'original :

Quand tu cherches à savoir une chose et que tu ne la trouves pas par la méditation, je te conseille, mon cher ami, d'en parler à la première personne venue. Il n'est pas besoin qu'elle soit douée d'une pénétration particulière, et je ne veux pas dire non plus que tu doives l'interroger : point du tout ! Raconte-lui simplement de quoi il s'agit.

Je te vois ouvrir de grands yeux et me répondre qu'on t'a appris autrefois à ne jamais parler que de choses que tu comprenais. Mais à l'époque, tu avais probablement la prétention d'instruire les autres tandis que je te demande au contraire de parler dans l'intention fort raisonnable de t'instruire toi-même – de sorte que nous pouvons admettre l'une et l'autre maximes, quoique dans des cas différents.

L'appétit vient en mangeant, disent les Français. Cette proposition reste vraie quand on la parodie et que l'on soutient que *l'idée vient en parlant*. Il m'arrive souvent d'être assis à ma table, penché sur les pièces d'un procès compliqué, et de me demander par où débrouiller l'affaire. Ou de chercher, devant un problème d'algèbre, l'équation qui exprimera mes données et dont découlera ensuite un calcul simple. Si, dans ces moments-là, j'en parle à ma sœur, qui est près de moi et se livre à ses travaux d'aiguille, je trouve parfois ce qu'une rumination de plusieurs heures ne m'aurait peut-être pas livré. Non qu'elle ait formulé la solution, car elle ne connaît ni le code civil, ni les traités d'Euler et de Kästner. Ni qu'elle m'ait interrogé pour m'amener habilement au point décisif, bien que cela se soit sans doute passé ainsi plus d'une fois. Non, c'est parce que j'ai déjà une vague idée de ce que je cherche, certes encore éloignée du but, et que mon esprit, dès lors que je me décide à parler et pendant que je parle, mène à son terme la partie engagée et transforme en représentation claire l'intuition confuse du début, de sorte qu'à mon grand étonnement, j'atteins mon but au moment même où je termine ma phrase. J'y introduis des sons inarticulés, je tire des conjonctions en longueur, j'ajoute çà et là une apposition qui n'était pas nécessaire et recours à d'autres manœuvres dilatoires pour que mon idée ait le temps de se former selon les exigences de la raison. Rien ne m'est alors plus utile qu'un geste que ma sœur fait pour m'interrompre, car mon esprit déjà tendu tire de cette tentative de m'arracher la parole une excitation supplémentaire. Il réagit comme un général au milieu d'une bataille.

Je comprends en quoi sa servante était utile à Molière. Quand il lui attribue un jugement susceptible de corriger le sien, il fait montre d'une modestie à laquelle je ne crois pas. Il y a une source particulière d'inspiration, pour celui qui parle, dans un visage humain qui lui fait face. Un regard lui annonce qu'une pensée qu'il vient d'exprimer à moitié a déjà été comprise, ce qui lui fournit souvent la partie manquante. Plus d'un grand orateur ne savait pas encore ce qu'il allait dire à l'instant où il commençait son discours.

La conviction que les circonstances et les mouvements qu'elles imprimaient à son esprit allaient lui fournir toutes les ressources nécessaires lui donnait l'audace de se lancer, à ses risques et périls.

Je me souviens comment Mirabeau a foudroyé le maître des cérémonies à la fin de la dernière séance des états généraux présidée par le roi, le 23 juin. Le roi avait ordonné à l'assemblée de se disperser. Le maître des cérémonies était revenu dans la salle, où l'on s'attardait, et avait demandé si l'on avait bien entendu l'ordre du roi. "Oui", lui a répondu Mirabeau, "nous avons entendu l'ordre du roi". Je gage qu'en commençant de cette façon courtoise, il ne sait pas encore où il veut en venir et ne pense pas à l'estocade qu'il va porter. "Oui, monsieur, nous l'avons entendu", dit-il – on voit qu'il hésite encore – "mais qu'est-ce qui vous autorise... continue-t-il, – et devant lui s'ouvre une perspective prodigieuse – ... à nous donner des ordres? Nous sommes les représentants de la nation." Lui vient alors le mot qu'il lui fallait: "La nation donne des ordres, elle n'en reçoit pas" – puis, poussant l'audace à son comble: "Pour m'exprimer tout à fait clairement... – c'est maintenant qu'il exprime pleinement la résistance dont son âme est capable: ... dites à votre roi que nous ne quitterons ces lieux qu'à la pointe des baïonnettes." Sur quoi il s'assied, satisfait. Après cette saillie, le maître des cérémonies s'est certainement trouvé dans un état de totale banqueroute, pareil à un corps non chargé d'électricité qui est entré dans le champ d'un corps électrisé et s'est instantanément chargé de l'électricité contraire. On sait que, par un effet en retour, la charge du premier corps s'accroît d'autant. C'est ainsi que le courage de notre orateur s'est mué, quand il eut frappé son adversaire, en une extrême témérité.

Il se peut donc que l'ordre des choses ait été renversé en France à cause de l'infime tremblement d'une lèvre supérieure ou d'un jeu de manchette ambigu. Il paraît que Mirabeau, dès que le maître des cérémonies se fut éloigné, se leva et proposa : 1) que l'on se constituât immédiatement en Assemblée nationale, et 2) que celle-ci serait inviolable. Car, après cette puissante décharge, il était de nouveau dans un état neutre et, revenu de sa témérité, laissa soudain la crainte du Châtelet et la prudence prendre le dessus.

On voit là une étrange concordance entre les phénomènes du monde physique et moral qui se vérifierait, si on la poursuivait dans les détails, dans tout ce qui s'est produit d'autre à ce moment-là. (...)

De tels actes, de tels mots imprévus semblent l'effet d'une divination. Dans d'autres circonstances, nous sentons que la situation est mûre pour qu'un événement semblable se produise. Il est attendu, désiré, mais ne se produit pas. Je l'ai senti naître en moi, mais le processus d'intégration a buté sur un obstacle et n'a pas abouti. De là naît la mélancolie, qui est le sentiment d'une puissance d'agir défaillante.

IV

16. J'ai passé la première partie de ma vie à essayer les idées des autres. Je me disais que je finirais par trouver celles qui me convien-draient. Puis un jour, las de chercher, j'ai décidé de m'en tenir à ce que je pouvais observer par moi-même et de m'intéresser aux seuls pro-blèmes que me posait ma propre expérience, même si elle me paraissait réduite. C'était le moyen, pensais-je, d'arriver à quelques certi-tudes limitées, faute de mieux. J'ai accumulé des observations, elles se sont multipliées, puis un renversement s'est produit. Entre certains faits que je remarquais, des rapports sont apparus, des motifs se sont formés. Je me suis aperçu que je tenais le début d'une pensée qui m'était propre. J'ai d'abord cru qu'elle se situait à la marge du monde des idées, puis je me suis rendu compte qu'elle me mettait en position de dialoguer avec d'autres. Je dispo-sais même d'une pierre de touche pour juger la pensée des autres et mieux déterminer en retour ma propre vision des choses.

Mais quel intérêt cette vision des choses peut-elle avoir pour d'autres que moi ? Je me suis souvent posé la question et n'ai cessé d'hésiter entre deux réponses. Cette vision est si intimement liée à mon aventure personnelle, me suis-je souvent dit, qu'elle peut à la rigueur intéresser quelques êtres qui me ressemblent. À d'autres moments, j'ai eu le sentiment qu'elle résout des problèmes fondamentaux, de portée générale, et qu'elle est donc susceptible de retenir l'attention d'autres lecteurs. Ne pouvant trancher cela moi-même, je vais éclairer brièvement le lecteur sur les rapports que je vois entre mes idées et mon histoire. Cela lui permettra le cas échéant de "faire ses calculs", comme disait Stendhal dans les *Mémoires d'un touriste* : il se faisait un devoir de rapporter avec exactitude les anecdotes qu'il recueillait pour que chacun pût progresser de façon sûre dans la connaissance des "bizarreries du cœur humain".*

Depuis le sortir de l'adolescence, j'ai cherché à *me recommencer*. Je me suis mis en quête d'une source qui me manquait. Je ne savais ni où je devais la chercher, ni ce qui adviendrait le jour où je la trouverais. Cette quête a fait de moi un être secret, un rêveur, mais aussi un esprit curieux de tout, du moins de tout ce qui me semblait pouvoir se rapporter à ce *recommencement*.

Les circonstances ont fait de la Chine mon principal objet d'étude, mais ce hasard n'était pas absurde parce qu'après tout, je pouvais supposer un rapport entre ce pays dont on savait si peu de choses et l'inconnu qui m'appelait.

Beaucoup plus tard, j'ai traversé une crise grave. Elle semblait être la conséquence de la surcharge de travail dont je souffrais depuis des années à l'Université, mais elle avait une cause cachée. La personnalité que je m'étais forgée depuis l'adolescence menaçait de s'effondrer. Je l'avais construite et maintenue à force de volonté, mais la force commençait à me manquer. J'allais au-devant d'un terrible échec. L'effondrement s'est produit puis, après avoir touché le fond, j'ai peu à peu compris ce qui m'était arrivé. Je me suis aperçu que, depuis l'adolescence, j'avais vécu coupé de mon passé plus ancien et que ce passé était une sorte de néant. Ma mère m'avait transmis l'angoisse muette qui habitait au fond d'elle. Elle l'avait fait à cause d'une souffrance ancienne, née de son histoire à elle. N'exprimant pas ses émotions, elle ne m'avait pas appris à exprimer les miennes. J'ai grandi dans la hantise de la catastrophe qui pouvait se produire si je leur laissais libre cours. Je découvrais ce fait extraordinaire que des émotions qui ne se sont pas manifestées restent programmées au fond du corps°, et peuvent le rester indéfiniment. J'apprenais ce qu'est l'émotion : un bouleversement qui se produit quand des forces cessent de se bloquer les unes les autres et s'unissent pour se décharger ensemble. Les émotions qui n'avaient pas pu se former autrefois surgissaient maintenant. Ce grand dégel a manqué m'emporter (du moins l'ai-je cru), mais j'ai trouvé à ce moment-là la source que j'avais cherchée depuis mon entrée dans l'âge adulte. Cette source était en moi, c'était l'émotion. Depuis lors, l'émotion m'apparaît comme un phénomène d'intégration qui libère le corps° d'un conflit qui le paralysait et lui rend la vie.

Je pourrais livrer au lecteur un tableau plus complet de mon passé, où figureraient d'autres personnages. En premier lieu Wen, ma femme, qui a gardé de son enfance à Pékin des souvenirs heureux. Ils fournissent à son existence un socle inébranlable qui manquera toujours à la mienne. Elle exprime ses sentiments et ses émotions de façon immédiate. Sa constance et sa gaieté ont été sans prix, de même que son soutien lors de ma descente aux enfers. Elle n'a que faire d'une philosophie de l'intégration, elle n'en a nul besoin.

La tristesse et l'angoisse me sont restées, mais comme une sorte d'inépuisable ressource. Lorsqu'elles me saisissent, je sais que je dois les laisser faire. Elles s'emparent de moi, mûrissent doucement et engendrent à la fin l'émotion, chaque fois. C'est devenu l'une des lois de ma nature. J'ai besoin de ce ressourcement. J'ai surtout besoin de l'autre ressourcement, que je pratique au café, celui de *l'espace où les choses commencent.*

Les débuts de ma vie ont fait de moi un solitaire. Le manque de communication que j'avais avec moi-même me coupait des autres parce qu'en leur compagnie, les réactions justes ne me venaient pas. Cet empêchement me rendait vite pénible la vie en société. Je préférais me retirer en moi. J'ai certes appris à donner le change, mais l'effort que cela coûtait m'épuisait. Une fois seul, je retrouvais mon équilibre. Cette solitude a été une malédiction, mais aussi une chance dont j'ai tiré parti. Je lui dois ce qu'il y a de plus précieux dans ma vie.

J'aperçois maintenant dans cette aventure, en filigrane, la loi de l'intégration et j'en conclus que *c'est l'intégration qui crée en nous la vie.*

17. On appelle "dépression" le genre de crise que j'ai traversée mais, comme l'a remarqué William Styron*, ce terme donne une idée fausse du phénomène en question. En dépit des apparences, il ne s'agit aucunement d'un affaissement. Au cœur du mal se trouve un conflit qui devient insupportable parce qu'il résulte de l'affrontement de deux forces d'égale puissance

qui se tiennent réciproquement en échec. Elles sont engagées dans une sorte d'escalade immobile. L'impuissance prend possession de vous. L'angoisse vous gagne. Elle est une peur qui paraît sans cause parce qu'elle provient de l'antagonisme d'énergies que vous ne connaissez pas. Elle se mue en souffrance – en une souffrance sans nom, qui vous occupe tout entier, ne laisse aucune marge, ne permet aucun recul.

Cette souffrance est doublement incapacitante. La seule ressource qui reste au corps° est de réduire l'ensemble de son activité, ce qui affaiblit toutes ses facultés et vous empêche de vivre normalement. Votre faculté d'adaptation disparaît, d'où un sentiment de vulnérabilité extrême et la peur des autres, hormis ceux qui vous inspirent une confiance absolue.

À cela s'ajoute que les personnes qui n'ont pas connu cette épreuve ne vous comprennent pas et vous donnent des conseils ineptes. Votre souffrance leur est d'autant plus inaccessible que vous avez l'air en bonne santé. Vous êtes donc pris devant elles d'un affreux sentiment d'indignité. Je me suis parfois senti pareil à un homme qui aurait les pieds et les mains liés par des attaches invisibles et à qui les autres demanderaient de danser, ou seulement de faire un pas : il se sait condamné à tomber au moindre mouvement, mais ne peut pas s'expliquer.

J'ai tiré de cette expérience une certaine idée de la souffrance. La douleur a une cause extérieure, sur laquelle on peut espérer agir. La souffrance est différente. Elle naît du conflit qui paralyse du dedans notre activité. Elle a son siège au cœur de ce que nous sommes. Dans sa forme extrême, elle fait de l'être entier une sorte de bloc totalement immobile, impuissant et insupportable, pareil à une pièce de métal chauffée à blanc.

De cette définition découle que l'homme ne saurait échapper entièrement à la souffrance puisqu'il est inévitable que des conflits intérieurs le paralysent parfois. La souffrance est dans sa nature même, comme la joie. Ce sont deux formes de son activité propre.

Cette définition indique aussi l'issue salvatrice, qui est toujours la même dans son principe : réduire la tension, réintroduire du jeu, remettre en mouvement les ressources du corps[°]. Ameublir les défenses qu'on a érigées pour se protéger, les ébranler suffisamment pour qu'elles cèdent et que les émotions anciennes se produisent enfin. Cela peut ressembler à une descente dans des grottes et des conduits souterrains. L'hypnose facilite cette entreprise parce que la conscience se fait spectatrice et favorise par là le retour du mouvement. La vie reprend. Elle reprend par le bas. L'intégration repart de là où elle s'était arrêtée. L'effet a quelque chose de miraculeux. L'être souffrant voit renaître sa faculté de rassembler ses souvenirs, de laisser se former en lui des idées, d'éprouver de l'intérêt, de se concentrer, de produire des synthèses nouvelles à partir du moment présent et donc de rencontrer à nouveau les autres, de s'adapter au changement. Il assiste à la reprise de l'intégration sous toutes ses formes.

Primo Levi remarquait que, parmi les victimes des camps de concentration, seuls pouvaient témoigner ceux qui avaient été le moins atteints.* Sans doute en va-t-il de même pour la souffrance psychique. Je me rends bien compte que ma crise n'a pas été bien grave, comparée à d'autres. C'est peut-être pour cette raison que j'ai pu réfléchir à ce qui m'est arrivé – et gagner un profond sentiment de compassion pour les êtres qui ne s'en sortent pas.

Je considère que la souffrance a certes des causes extérieures, mais résulte principalement de la paralysie qu'elles créent au-dedans de nous-mêmes. Ainsi s'explique selon moi qu'un malheur relativement bénin puisse engendrer une souffrance aiguë et prolongée, et que les hommes souffrent les uns beaucoup et les autres si peu des mêmes maux extérieurs. Cela explique aussi pourquoi certaines souffrances sont incompréhensibles pour les tiers.

Comme sont incompréhensibles certaines joies, qui ne sont pas autre chose que notre activité jouissant pleinement d'elle-même.

18. L'expérience religieuse obéit aussi aux lois de l'activité. Les religions attribuent à certains phénomènes qui nous remplissent de stupeur ou d'admiration des causes surnaturelles, mais s'ils sont "transcendants" c'est parce qu'ils naissent d'un régime d'activité supérieur à celui des témoins. Ce que les chrétiens appellent la grâce est le passage inopiné à un régime supérieur de l'activité, qui semble miraculeux à celui qui agit aussi bien qu'aux autres. Le don de la parole en est un exemple. Jésus dit à ses disciples : "Quand on vous conduira pour vous livrer, ne vous inquiétez pas de ce que vous direz, ne vous préparez même pas, dites ce qui vous sera donné le moment venu". Il leur dit ailleurs : "Ce n'est pas vous qui parlerez, c'est l'esprit de votre Père qui parlera en vous." L'action que Jésus attribue à Dieu, nous pouvons aussi bien l'attribuer au corps°, à sa dimension d'inconnu et aux phénomènes d'intégration soudaine qui s'y produisent. C'est la foi qui sauve, selon les Évangiles, mais d'où vient la foi ? À cette question, Jésus répond simplement : "Ayez foi en Dieu". Nous dirons : soyez ouverts à la dimension d'inconnu qui est

en vous et dont surgissent les actes efficaces. “Tout ce que vous demandez en priant, ajoute Jésus, soyez sûrs que vous l’avez en vous, et vous le verrez s’accomplir.” Il les appelle à prier, c’est-à-dire à faire le vide en eux pour que s’accomplisse le travail d’intégration nécessaire. Selon Hannah Arendt, l’enseignement de Jésus était centré sur la faculté qu’a l’homme “d’accomplir des miracles”, c’est-à-dire de laisser advenir l’improbable et de réorienter par là le cours des choses. Cela transparaît lorsqu’il leur lance, après qu’ils ont échoué à guérir des malades : “Vous n’êtes sûrs de rien, vous avez l’esprit tordu ; jusqu’à quand vais-je devoir vous supporter ?” Il s’exprime directement lorsqu’il dit : “Qui se fie à moi fera les œuvres que je fais, et il en fera de plus grandes”.*

L’expérience religieuse a été interprétée selon un paradigme constant. Les phénomènes qui en relevaient, exceptionnels ou plus ordinaires, ont été expliqués par une action venue d’ailleurs, attribuée à Dieu. Dieu était une puissance située hors de nous mais qui, de façon imprévisible et inexplicable, se manifeste au sein même de notre activité. Cette explication pouvait paraître raisonnable en des temps où l’on croyait à des dieux ou à un Dieu unique. Elle a comporté dès l’origine des difficultés que la théologie a surmontées tant bien que mal, par des spéculations parfois compliquées, mais ces difficultés sont devenues rédhibitoires depuis que le paradigme ancien s'est affaibli : comment expliquer aujourd'hui que l'accès à nos ressources les plus intimes dépende d'une force extérieure, et comment nous figurer cette force ? Dans le nouveau paradigme que je propose, et qui est une inversion de l'ancien, il n'est plus besoin de postuler une telle force. Nos expériences, y compris les plus bouleversantes, s'expliquent par nos seules ressources. *L'esprit ne descend plus sur nous, mais se forme en nous, de bas en haut. La dimension d'inconnu est au fond du corps*° *et de son activité, elle n'est plus quelque part au-dessus.*

Cette inversion n'entraîne aucune perte. La connaissance de l'homme qu'ont développée les religions juive et chrétienne se retrouve en entier dans le nouveau paradigme. La transcendance du divin y réapparaît sous la forme de phénomènes de transcendance qui se produisent *au sein de notre activité* du fait de ses différents régimes, qui paraissent parfois incommensurables.

L'avantage de ce renversement est que les expériences religieuses cessent d'être rangées dans une catégorie à part. Nous les voyons obéir aux mêmes lois de l'activité que toutes les autres. Inversement, nous pouvons éclairer certains aspects de l'expérience quotidienne par les faits religieux. Cette unification du champ nous rend plus aptes à saisir les lois générales de l'activité et donc à développer notre puissance d'agir.

Ce renversement présente un autre avantage : il met aussi fin à l'absolutisation de la transcendance. Du moment que les phénomènes de transcendance se produisent *au sein de notre activité*, nous n'avons plus besoin de l'idée d'une puissance *autre*, supposée intervenir de l'extérieur dans nos vies. C'est une bonne chose parce que cette fiction a été la cause d'innombrables abus et violences. C'est elle qui a permis de présenter le pouvoir, religieux et politique, comme l'émanation d'une réalité supérieure, située hors de portée du commun des mortels, et de les persuader qu'ils lui étaient soumis jusque dans leur for intérieur.

Mais comment l'idée de cette inversion m'est-elle venue ? Ma longue fréquentation du monde chinois y a contribué. Une part de l'imaginaire taoïste (de la religion taoïste plus encore que des philosophes dits taoïstes de l'Antiquité préimpériale) suggère une telle primauté du corps°. D'autres conceptions religieuses et philosophiques, d'autres pratiques lui assignent de telles ressources. Mais je vois une autre cause à ce renversement. Mon grand-père maternel, pasteur et théologien protestant, professeur d'université, a pesé lourd dans mon histoire, à son insu et de façon indirecte. À l'époque de mon adolescence, quand il n'était déjà plus de ce monde mais que son autorité restait très présente dans l'esprit des siens, j'ai rejeté tout ce qu'il représentait. Sans doute faut-il situer le choix de la Chine dans le prolongement de ce refus. Par la suite, pendant longtemps, j'ai cru que cette rupture serait définitive. Mais depuis quelques années, j'ai le sentiment d'avoir fait le tour du monde et d'être revenu, guidé par je ne sais quelle boussole, aux lieux d'où mon histoire est partie. Je suis revenu aux questions religieuses parce que je me sentais libre, désormais, de m'intéresser pour mes propres raisons à la religion chrétienne et à sa théologie, ou plutôt *ses* théologies. Venant de Chine, je découvrais leur étrangeté, mais aussi les vérités qu'elles contenaient.

Un déclic s'est produit quand j'ai lu l'ouvrage d'un vieil ami, théologien lui aussi, mais de l'espèce rebelle, consacré à Dietrich Bonhoeffer. Le théologien allemand, héros de la résistance contre Hitler, envisageait pour les chrétiens un "langage nouveau, peut-être entièrement non religieux".* C'est ainsi qu'est née l'idée de ne plus rejeter le paradigme traditionnel, mais de l'inverser.

À vrai dire, je rêvais depuis longtemps d'une telle subversion. J'avais un goût particulier pour deux surréalistes, Max Ernst et Luis Buñuel, qui étaient imprégnés l'un et l'autre, du fait de leur éducation, des mystères de la religion catholique et qui sont devenus, Max Ernst surtout, des *visionnaires de ce qui vient d'en bas*. Ils ont donné à ces mystères un charme tout onirique parce qu'ils les ont replongés dans la matrice d'où ils sont sortis, l'imagination humaine.*

Ce renversement n'a pas été une transformation subite et simple. Il y a certes eu un déclic, mais il s'est produit à la suite d'une maturation. Au fil des années, j'avais noté çà et là des expériences religieuses qui étaient présentées comme d'origine surnaturelle, mais que l'on décrivait de façon si exacte et sobre qu'on en révélait sans le vouloir la nature purement humaine. Ainsi par exemple, Thérèse d'Avila rapporte dans son autobiographie qu'elle a senti un jour la présence de Jésus, pendant qu'elle était en prière, mais précise bien qu'elle ne l'a pas *vu* : il semblait se tenir à sa droite, dit-elle, à environ deux coudées de distance.* J'ai aussi noté des phénomènes qui relevaient pour moi des lois de l'activité, mais que les chrétiens interprètent comme des marques de la présence de Dieu. C'étaient notamment des moments où je devais agir, dans une affaire décidant de la suite de ma vie, et n'avais encore aucune idée de ce que j'allais faire, mais sentais en moi la présence d'une puissance inconnue prête à se manifester. La substitution du nouveau paradigme à l'ancien a pris la forme d'une inversion, mais a d'abord résulté d'une synthèse nouvelle, née d'un processus d'intégration.

19. Lorsqu'on a écarté toute idée de réalité transcendante et pleinement reconnu le principe de l'intégration, *la personne* émerge comme la réalité la plus élevée. Il en est ainsi parce qu'elle est l'aboutissement du processus d'intégration le plus complexe qui soit, dont naît la plus grande puissance d'agir.

Les religions juive et chrétienne ont certes reconnu, d'une certaine façon, la valeur ultime de la personne humaine, puisqu'elles ont conçu Dieu comme une personne et voulu qu'il s'adresse à la personne en l'homme. Mais elles sont restées prisonnières d'une contradiction insurmontable parce qu'elles ont maintenu que Dieu était en même temps une puissance transcendante. Elles ont empêché par là la reconnaissance pleine et entière de la puissance d'agir de l'homme.

Me promenant un jour à Strasbourg en compagnie d'un inspecteur des enseignements de philosophie et d'une amie à lui, spécialiste de Kant, je mentionne "la personne". S'arrêtant tout net dans sa marche : Comment définissez-vous cette notion, me demande-t-elle. Je lui réponds que la personne n'est pas une notion : elle ne se définit pas, elle se manifeste. C'est par exemple moi, qui vous parle en ce moment. Elle m'a regardé, stupéfaite, et n'a pas cherché de contre-argument. J'en ai conclu que j'avais bien exprimé ma pensée.

Je ne définirai donc pas la personne dans l'abstrait. Je me contenterai d'indiquer les principales qualités de ce que j'appelle ainsi.

La personne est toujours un être *singulier*. Elle l'est à cause des circonstances qu'elle a rencontrées, des éléments de l'expérience qu'elle a (ou n'a pas) intégrés, des puissances qu'elle a (ou n'a pas) développées et de la puissance d'ensemble qui en résulte. Valéry notait : "Le plaisir que me fait un homme par son être même, par son timbre, son abord, son tour de parole, je lui en suis plus reconnaissant que d'un service rendu, d'un bienfait volontaire. Un tel homme communique la vie, augmente la mienne."*

La personne a quelque chose *d'inconnaissable* – à cause de sa complexité, de la dimension d'inconnu qui est en elle et des actes ou des synthèses nouvelles qui peuvent en surgir. Elle échappe en dernier ressort au mimétisme social.

La personne a un caractère *historique*. Je veux dire par là que chacune est la résultante d'actes qui sont nés en elle dans le passé, qu'elle a reconnus comme siens et dont elle a assumé les conséquences. Elle est devenue elle-même en prenant conscience du destin qui en découlait et de ce qu'il avait de particulier.

Elle est historique à d'autres titres. L'histoire particulière par laquelle elle se définit à ses propres yeux et aux yeux des autres s'inscrit dans une histoire plus large, celle de sa famille, de son milieu, des groupes sociaux dans lesquels elle est entrée et de la société de son temps dans son ensemble. De ce fait, les synthèses dont résultent ses actes intègrent souvent des éléments de la vie commune propre à un moment de l'histoire. Ces actes sont de ce fait, d'une façon ou d'une autre, l'expression de ce moment historique. Le caractère historique de la personne tient aussi au fait que ses actes peuvent avoir des conséquences pour d'autres, voire pour des communautés entières. C'est le cas du mot de Mirabeau évoqué par Kleist. Il est le fruit d'une synthèse où se sont trouvés intégrés son expérience politique, ses aspirations et, à travers elles, les aspirations des autres. La dimension d'inconnu qui est en chacun de nous ouvre aussi sur l'histoire commune.

Il faut ajouter que la personne *se sait mortelle*. Elle se sait telle parce qu'elle a conscience de sa singularité, qui la rend unique. Elle accepte aussi la mort parce qu'elle a développé au cours de sa vie une pleine puissance d'agir et sait qu'elle a connu ce qu'il y a de meilleur. Notre vocation ultime est de développer notre puissance d'agir et de *devenir mortels*. "C'est à la mort que nous devons tout", disait Buñuel.*

Je ne donne pas au mot "personne" un sens entièrement nouveau. Je me borne à dégager une signification qu'il a acquise depuis longtemps en Europe, mais qui n'a peut-être pas été exprimée de manière aussi complète. Le sens qu'elle a donné à ce mot est pour beaucoup dans mon attachement à l'histoire de cette partie du monde. L'apparition du portrait dans le dessin et la peinture de la Renaissance en est une illustration parmi d'autres.

Je confère par contre à ce mot un sens fort qu'il n'a pas dans son emploi courant. Il n'a évidemment pas la même signification quand il désigne *la* personne en tant que puissance d'agir et *les* personnes dans l'acception commune du terme. Les deux significations ne sont toutefois pas sans rapport entre elles.

D'une personne que je fréquente, j'ai une idée qui s'est formée peu à peu, chaque fois qu'elle m'a étonné par une manifestation imprévue. L'idée que je me fais d'elle est la synthèse de ces petits ou grands moments de vérité. Elle est aussi une personne à mes yeux parce que je sais qu'elle me surprendra encore, et m'obligera à enrichir ou modifier cette synthèse.

Quant à "l'individu", c'est un mot pauvre, bon à servir d'unité de compte, à opposer dans l'abstrait *les individus* et *la société* ou à désigner quelqu'un à qui l'on dénie la qualité de personne.

20. À cause de la singularité de chacune d'entre elles, les personnes forment toujours une *pluralité*. Et comme elles sont la réalité la plus élevée, cette pluralité est absolue.

Entre elles règnent en même temps *l'égalité* et *l'inégalité*.

Nous sommes égaux par nos dispositions. Nous avons tous pour vocation de devenir des personnes. Il n'est que de voir les petits enfants, qui s'avancent si rapidement dans cette voie (ceci est un hommage à Constance, qui a deux ans). Mais nous devenons inégaux parce que les uns réalisent cette vocation, à un moment de leur vie, tandis que d'autres sont arrêtés en chemin par des difficultés qu'ils ne parviennent pas à surmonter. Ils se résignent à vivre à moitié. Si une crise salutaire ne vient pas les remettre en mouvement, ils dépérissent. Quand l'angoisse ou la souffrance qui les tient devient trop forte, il n'est pas rare qu'ils essaient d'y échapper en se détruisant ou en faisant du mal aux autres.

À l'inégalité des destins s'ajoutent les inégalités de circonstance, quand se rencontrent deux êtres humains diversement avancés, chacun dans sa voie. Celui qui a fait le plus de chemin impressionne l'autre par sa plus forte présence, sa plus grande puissance d'agir, sa façon d'obéir à son propre mouvement.

Ces inégalités-là sont au cœur de notre sensibilité morale. Celui qui se sent inférieur éprouve souvent de la gêne, de la honte ou de la crainte, voire un désir de soumission, lequel peut susciter chez l'autre la tentation de dominer. Mais le sentiment de son infériorité peut aussi éveiller en lui le désir d'accéder à une forme de vie plus élevée et plus libre. C'est en cela que “l'homme est utile à l'homme”, selon Spinoza : ils seront “d'autant plus utiles les uns aux autres, écrit-il, que chacun recherchera le plus utile qui lui est propre”.*

Lorsque je commençais mes études de chinois, Paul Demiéville enseignait au Collège de France. Il était considéré comme le patron des études chinoises en France et au-delà. Quand j'allai lui rendre visite dans la maison familiale qu'il possédait à Mont-la-Ville, dans le Jura vaudois, j'imaginais qu'il ne serait question que de sinologie, où je croyais qu'on entrait comme on entre en religion. Mais il était plongé dans une biographie de Joyce et m'interrogea sur un certain Billeter que Joyce avait connu à Zurich. Une autre fois, il me parla avec admiration de *La Terre du remords*, l'ouvrage de Ernesto de Martino sur le rituel de la tarentule dans les Pouilles. Quand il abordait un livre et que la préface était mauvaise, il le jetait tout de suite. Il m'a appris que la qualité des travaux sinologiques est affaire de savoir spécialisé et de rigueur philologique, mais aussi de curiosité en toutes choses et de tempérament. C'est un exemple d'action d'une personne sur une autre.

J'ai rendu visite à Alberto Giacometti lorsque j'étais adolescent, avec deux camarades de lycée. Annette, sa femme, était une cousine de ma mère. Elle nous reçut avec gentillesse et nous présenta à Alberto. Comme nous aimions dessiner et voulions nous exercer, il nous invita à passer dans son atelier et se remit au travail. Je vois encore l'agilité avec laquelle ses mains pétrissaient la glaise en montant et descendant le long de l'une de ses sculptures inachevées. Le moment venu il se leva, enveloppa la sculpture d'un linge humide et nous emmena au café. Durant la conversation, l'un de nous sortit une pochette d'allumettes sur laquelle figurait une minuscule photographie de femmes nues posant en groupe. C'était un souvenir du soir précédent, passé à Pigalle. Cette photographie l'intéressa vivement et il demanda s'il pouvait la garder. Ce naturel m'a fait une profonde impression. Il était libre des conventions dans lesquelles j'avais été élevé. Il nous traitait comme des égaux. J'ai eu des moments de désespoir en repensant à lui par la suite. Il mène une existence réservée à quelques êtres d'exception, me disais-je, une vie que je ne connaîtrai jamais. Bien des années plus tard cependant, quand je l'ai mieux compris, la distance a cessé de me paraître infranchissable. Aujourd'hui, je vois bien ce qu'il a voulu faire : il a obstinément cherché à rendre *ce qu'il y a de plus réel*, l'effet que produit sur nous la *présence* d'un homme ou d'une femme. Ici même, je cherche à saisir quelque chose de tout aussi central, et peut-être d'aussi insaisissable. Je pense presque chaque jour à lui, à sa rigueur et son honnêteté.

Tels sont les effets de l'inégalité, de celle qui est “utile à l'homme”. Mais j'ai aussi en moi la passion de l'égalité. J'en perçois la manifestation dans certaines de mes préférences esthétiques.

Glenn Gould me remplit d'allégresse quand il joue du Bach parce qu'en détachant parfaitement toutes les lignes mélodiques, il crée à la fois une *pluralité* et une *égalité*. Il était gaucher, ce qui le portait à donner de l'importance aux basses, mais cet équilibre exprime surtout une sensibilité morale – protestante, celle de Bach. L'enchantement résulte d'un échange entre parties d'égale dignité. Ce contrepoint savant exige du pianiste une forme supérieure d'intégration : il doit déléguer entièrement à l'activité du corps° l'exécution des différentes voix pour ne plus s'occuper que de leurs rapports, en se situant quelque part au-dessus et en s'y maintenant sans appui. L'auditeur est convié à un exercice analogue. Notons aussi la préférence de Glenn Gould pour le *pizzicato* : quand l'auditeur crée une mélodie à partir de notes détachées, il développe une activité plus intense que si elles étaient déjà liées. Il éprouve donc plus de plaisir.*

Comme Giuseppe Tomasi di Lampedusa l'a remarqué, les personnages de Stendhal passent sans cesse du dialogue intérieur qu'ils entretiennent avec eux-mêmes au dialogue avec autrui et inversement, comme nous le faisons continûment dans la réalité.* Ces enchaînements *si vrais* forment aussi un contrepoint permanent. Mais Stendhal fait plus, car il met sur un pied d'égalité les raisonnements de tous les protagonistes, hommes ou femmes, quelle que soit leur place dans la société et leur valeur morale – d'où résulte *une pluralité dans l'égalité.* Il est très sensible aux discontinuités, aux changements de régime, aux actes non prémédités. Il admire la puissance agissante. Il n'admet rien au-dessus de la personne et fait preuve d'un sens aigu de l'historicité de ses personnages – et de la sienne propre. "Je pense que dans cinquante ans quelque ravaudeur littéraire publiera des fragments de mes livres qui peut-être plairont comme *sans affectation* et peut-être comme *vrais.*"* Tout y est, je suis comblé.

Voilà deux mondes qui me réjouissent parce que je les vois animés d'une pluralité sans hiérarchie ou de hiérarchies momentanées, d'inégalités appelées à se renverser ou à disparaître du fait qu'y prévalent toujours l'action réciproque, le dialogue.

Je suis partisan d'un pluralisme que je qualifierais d'absolu ou de radical parce qu'il n'est soumis à aucun ordre supérieur et n'est pas censé se résorber dans une réalité plus vaste. Je considère cette sorte de pluralisme comme ce que l'Europe a produit de plus précieux. J'ai aimé la Chine, j'ai étudié ses traditions pendant cinquante ans, mais je n'y ai pas trouvé *cela.* Au terme de cette aventure, je me sens européen *pour cette raison-là*. Pluralité des personnes, des œuvres, des villes.

Le pluralisme absolu vaut aussi sur le plan intellectuel. Je considère la pluralité des langues, des langages, des idées, des mots comme indépassable, d'où l'article indéfini dans le titre de ce petit ouvrage. Il s'agit d'*un* paradigme parmi d'autres, dont on se servira comme *l'un* des outils trouvés dans une caisse à outils. Ce pluralisme méthodologique est fondamental. C'est celui que Pascal opposait à Descartes : à chaque problème sa méthode, pas de science générale.*

V

21. Mais revenons à l'observation.

"Qu'est-ce que le temps? se demandait Saint Augustin. Quand personne ne me pose la question, je le sais. Quand quelqu'un me la pose et que je veux le lui expliquer, je ne sais plus."* Il n'en a pas moins tenté une explication. Il s'est inspiré pour cela des temps du verbe latin – passé, présent, futur. Il les a placés sur une ligne droite et il a défini le présent comme un point se déplaçant sur cette ligne. Dans ce point, dit-il, à chaque instant l'avenir se transforme en passé. C'est une analyse qui est restée classique, à laquelle le sens commun se rallie encore aujourd'hui. Saint Augustin en a toutefois bien senti la faiblesse puisque, comme il le montre lui-même, l'avenir et le passé sont, dans la mesure où nous en avons conscience, compris dans notre présent. Mais il n'avait pas d'autre paradigme à sa disposition.

Un autre se présente maintenant, centré sur l'intégration. Car on observe une relation entre l'intégration et ce que nous appelons "le présent" ou, plus exactement, entre le degré d'intégration de notre activité et la qualité de ce que nous éprouvons, à un moment donné, comme la réalité présente.

Un soir dans un *riad* de Marrakech, Wen et moi étions couchés, plongés chacun dans sa lecture. J'ai senti une odeur suspecte, je me suis levé pour voir d'où elle venait. Notre logement était à l'étage et donnait sur une cour intérieure. Elle était plongée dans la nuit. N'ayant rien remarqué d'anormal de ce côté-là, j'ai fini par passer la tête par la lucarne qui, de la salle de bains, donnait sur la rue. À gauche, à une vingtaine de mètres, une épaisse colonne de fumée noire sortait d'un soupirail et s'élevait rapidement, bien visible parce que la rue était éclairée. Des gens s'attroupaient cependant que côté cour, rien ne bougeait. Je me suis avancé sur la galerie qui reliait notre chambre à l'autre angle du bâtiment, où se trouvait l'escalier en colimaçon qui formait l'unique accès à l'étage, et j'ai constaté qu'il en sortait aussi de la fumée. J'ai averti Wen, qui m'a rejoint sur la galerie, et j'ai appelé. Silence. Nous étions seuls dans l'hôtel. Après avoir jeté un vêtement sur nos épaules et nous être chacun muni d'un linge mouillé, nous avons tenté de descendre, mais c'était devenu impossible. La fumée qui montait par l'escalier était âcre et épaisse. L'escalier était fait de vieilles dalles irrégulières, il n'y avait pas de main courante pour nous guider, nous étions pris au piège. Après avoir encore appelé du haut de la galerie, j'ai appelé au secours dans la rue, par la lucarne. L'attroupement avait grandi, la colonne de fumée noire continuait de s'élever, toujours aussi dense. De jeunes hommes tentaient de s'approcher du soupirail et de la porte de l'hôtel, juste à côté. Quelqu'un nous a fait savoir qu'ils allaient essayer d'entrer dans l'hôtel et de nous tirer de là. Ils ont réussi à forcer la lourde porte d'entrée, qui datait d'un autre âge, à gravir l'escalier enfumé en éclairant les marches avec l'écran de leurs portables et à nous faire descendre de la même façon. Dans la rue, il y avait maintenant beaucoup de monde. Les pompiers sont arrivés, puis la police, puis le jeune gardien qui devait veiller sur nous et qui était parti vaquer à ses propres affaires. C'était le système électrique de l'hôtel qui avait pris feu.

Lorsque je me suis retrouvé dans la rue, au milieu de la foule des badauds, mon besoin le plus urgent a été de mettre de l'ordre dans les fortes impressions que je venais de recevoir, c'est-à-dire de déterminer dans quel ordre elles s'étaient succédé. En fait, l'opération s'est enclenchée toute seule. Après quelques hésitations, qui n'ont duré qu'un instant, il en est résulté un récit cohérent, celui que j'ai gardé en mémoire et qui me revient dix ans après, au moment d'écrire ceci.

Plusieurs régimes d'activité se sont succédé rapidement : celui de l'action, suivi de celui des impressions se bousculant dans le désordre, puis de leur mise en ordre, c'est-à-dire d'un travail d'intégration. Pour que fût “compris” ce qui s'était passé, il fallait qu'à partir d'éléments épars se forme un tout. Je suis ensuite revenu à l'activité pratique, à ce qui se passait autour de moi, à la suite des événements : un voisin m'expliquant qu'il suffisait de s'enfuir par les toits, un autre nous offrant l'hospitalité, etc.

À chacun de ces régimes a correspondu un *temps* particulier : d'abord celui de l'action, court et serré, dont il ne me resterait à peu près rien sans le récit qui s'est formé ensuite ; celui des impressions fortes, subsistant comme hors du temps, chacune pour elle-même ; le temps du processus d'intégration, qui s'est développé selon sa durée propre ; ensuite la durée du récit, que je me suis raconté à moi-même deux ou trois fois pour être sûr de le garder en mémoire ; enfin le temps de la vie commune retrouvée, ouvert et mouvant.

Au cours de cette séquence, j'ai aussi connu des *présents* fort différents, qui se sont ensuite perpétués différemment. Deux choses sont restées inchangées : le récit, né du travail d'intégration qui s'est fait juste après l'événement, et les trois ou quatre impressions fortes qui se sont imprimées en moi comme des tableaux, lorsque j'étais en pleine action. La plus vive est la scène que j'ai aperçue quand j'ai passé la tête par la lucarne : la perspective rectiligne de la rue éclairée, la colonne de fumée noire s'élevant comme une trombe, quelques personnes accourant ou arrêtées face à ce phénomène inquiétant. Ce que j'ai vu à cet instant-là m'a si fortement saisi qu'il s'est produit en moi un phénomène d'intégration instantané, dont l'effet a été durable. Cette scène ressemble depuis lors, dans mon imagination, à certains petits tableaux du début de la Renaissance qui relatent de façon simple et claire l'occurrence d'un miracle. Je la saisirais parfaitement si j'étais peintre.

Une fois mon récit formé, j'ai rejoint le cours des événements, j'ai retrouvé la compagnie des gens qui étaient là. Dans ce régime pratique, l'intégration se fait différemment. Elle consiste à intégrer dans le "monde objectif" au sein duquel j'évolue les changements que je remarque, les phénomènes nouveaux qui se produisent. C'est ce que nous faisons tous les jours de façon plus ou moins rapide et plus ou moins complète. De cette adaptation incessante au changement naît notre sentiment habituel de l'écoulement du temps.

La dépression en fournit la preuve *a contrario*. Lorsque mon activité se mue en souffrance parce qu'en elle des forces s'opposent et se paralysent, et que je réduis mon activité pour diminuer la souffrance, je m'enferme contre mon gré dans une sorte de temps immobile qui est une torture. L'adaptation ne se fait plus. Les changements qui se produisent au-dehors me terrifient parce que je n'ai plus la capacité de les absorber. Quand plus tard les forces qui me paralysaient se relâchent, que le mouvement renaît et que l'intégration reprend, bref: quand la vie recommence en moi, le temps reprend son cours et s'ouvre à nouveau sur l'avenir et l'inconnu.

Les analyses de Saint Augustin étaient insuffisantes parce qu'on ne peut pas se faire une idée adéquate de ce qu'est le temps sans prendre en considération notre activité, ses différents régimes et leurs discontinuités. Quand on en tient compte, en revanche, on découvre que tout est mouvement et changement dans la réalité, certes, mais qu'il n'y a de *temps* qu'au sein de notre activité. On s'aperçoit que le *présent*, dont la qualité varie tant selon les moments, est un produit de notre activité et de son degré d'intégration. On comprend que l'avenir est une synthèse *présente* incluant des suppositions sur ce qui peut arriver, le passé une synthèse *présente* fondée sur des éléments de l'expérience. L'activité elle-même est toujours *présente*, le présent est toujours *activité*.

22. Observons autre chose.

Lorsque je suspends le cours de mes occupations quotidiennes et que je tourne mon attention vers ce qui se passe en moi, elle agit sur mon activité. Elle l'isole, la protège et lui permet de mieux s'organiser, ou de se réorganiser. Elle l'invite à progresser dans la voie de l'intégration. Mon attention favorise l'essor des processus d'intégration qui attendaient le moment de se développer et d'aller à leur terme. C'est ce qui se produit au café, lorsque surgissent mes idées.

C'est ce qui se passe quand je cherche à comprendre. Dans une ville où je débarque, je me demande comment je vais aller de tel point à tel autre : je laisse des souvenirs revenir et s'assembler jusqu'à ce que l'itinéraire se dessine et que j'aie la solution. Ce que nous appelons *réfléchir* est toujours un processus de ce genre. Il peut être rapide, comme après l'incendie, ou prendre des heures, des jours, des semaines, des mois. La montée de l'émotion est un cheminement comparable, rapide ou lent. Dans l'hypnose aussi, nous laissons le corps° mettre en branle un processus d'intégration et le mener à son terme.

Toutes ces opérations, prises ensemble, forment la *pensée*, qui est la capacité humaine par excellence mais dont l'homme fait un usage très inégal. Dans ses papiers, Novalis note ceci : "Chez eux qui sont véritablement portés à *penser*, plutôt qu'à reproduire en eux telle ou telle idée, il y a *capacité de progresser*. Cette disposition manque à beaucoup de savants. Ils ont appris l'art de raisonner comme un cordonnier celui de faire des chaussures, sans jamais se demander ni prendre la peine de chercher d'où viennent les idées. Telle est pourtant la voie du salut. Chez bon nombre d'entre eux, cette disposition dure seulement quelque temps – elle croît et décroît, souvent avec les années, lorsqu'ils ont trouvé un système qu'ils cherchaient uniquement pour être ensuite dispensés de la peine de penser."* Cela ne vaut pas que pour les savants.

La pensée est inégalement pratiquée, mais ses conditions sont toujours les mêmes : s'arrêter, faire le vide, laisser agir le corps°, accueillir ce qui émerge. Elle a sa durée propre, elle n'obéit qu'à elle-même et nul ne peut la forcer – sous peine de l'interrompre. C'est une loi de l'activité. Le temps des occupations quotidiennes, dans lequel nous courons sans cesse après quelque chose, est un temps horizontal. Celui de la pensée se ramasse sur lui-même et engendre un mouvement ascendant. Il est un pur présent.

J'ai toujours trouvé une certaine beauté à une personne qui pense, que ce soit un adulte ou un enfant. L'apaisement donne à son visage des traits réguliers. Parce qu'elle s'isole, je puis la regarder à mon aise. L'attention qu'elle porte à ce qui se passe en elle se réfléchit dans l'attention avec laquelle je la considère. Dans la réalité, ce sont des moments furtifs, mais on les revit devant certains tableaux. Je pense à *L'Enfant au toton* de Chardin, qui montre un jeune garçon au tricorne regardant attentivement tourner sa toupille, ou à son *Château de cartes*, où l'on voit un autre garçon absorbé par la construction de son fragile édifice. Je songe aussi à la miraculeuse *Apparition de l'ange à Joseph* de Georges de La Tour, où la lumière de la bougie portée par l'enfant se reflète dans la prunelle du vieil homme qui semble dormir et qui, au-dedans de lui-même, *voit*.* J'ai remarqué que les visages les plus beaux, dans la statuaire grecque, *n'expriment rien*. Serait-ce parce que ce sont des visages *qui pensent*?

Je suis aussi frappé par la noblesse de celui qui *apprend*, au moment où il est entièrement rassemblé dans l'attention qu'il porte à l'activité du corps° et au geste qui va naître ou à la compréhension qui va se faire jour. Cette noblesse est la même à tous les stades de l'apprentissage. Apprendre et penser sont d'ailleurs une seule et même chose, de sorte qu'il est faux de considérer l'apprentissage

ÉDITIONS ALLIA
16 RUE CHARLEMAGNE
F - 75004 PARIS

NOM :..

PRÉNOM :..

ADRESSE :...

....

CODE POSTAL :...

VILLE :...

PAYS :...

E-MAIL:...

DÉSIRE RECEVOIR LE CATALOGUE DES ÉDITIONS ALLIA

comme inférieur à la maîtrise. Il y a certes une différence entre une activité encore maladroite et une activité supérieurement intégrée. Mais l'acte par lequel quelqu'un pense ou apprend a toujours la même valeur, à quelque niveau qu'il se situe et quel que soit l'âge. Les petits enfants font un plein usage de la pensée et sont en cela supérieurs à beaucoup d'adultes.

23. Dans un processus d'intégration, il existe toujours un point où les forces se touchent et cherchent à se combiner, *où le travail se fait*. Quand le processus est en marche, ce point forme le cœur de notre activité, ou mieux : son *foyer*. C'est là qu'elle est la plus intense et atteint parfois une sorte d'incandescence.

Cette fine pointe de l'activité se fait et se défait. C'est ce qui arrive lorsque je suis au café, qu'une idée se forme puis s'évanouit faute d'avoir trouvé une forme satisfaisante. Ma seule ressource est d'attendre que le processus d'intégration reprenne et que la pointe se reforme.

Il y a quelques mois, à Paris, j'ai fait l'observation suivante. Après trois jours de rendez-vous et de travaux divers, terminés plus vite que prévu, je me trouve au seuil d'une belle journée d'avril dont je ne sais pas encore ce que je ferai. J'ai plusieurs idées, mais aucune ne l'emporte. Ce délicieux flottement se mue en indécision qui, le temps passant, commence à devenir pénible. J'observe ce qui se passe en moi. Je note qu'à un certain moment, l'une des idées semble prendre le dessus. C'est celle d'aller voir l'exposition Manet au Musée d'Orsay. J'assiste à la formation d'un *intérêt*. Des souvenirs épars s'assemblent, forment un motif, ou plutôt : créent une activité organisée. Mon *intérêt* pour Manet, que je vois renaître par un processus d'intégration, me sort de mon embarras : c'est lui que j'irai voir. Je n'ai pas vu l'exposition parce qu'il y avait trop de monde, mais j'ai gardé le souvenir de l'infime événement dont est sortie ma décision – et conçu l'idée, ce jour-là, que l'intérêt que nous éprouvons, quel qu'il soit, résulte toujours d'un tel processus d'intégration, qui crée une semblable activité condensée, plus ou moins vive selon les cas.

J'en fais l'expérience lorsque je me remets à la rédaction de ce *Paradigme*, le matin. Je suis contrarié parce que l'envie de reprendre ce travail me manque. Puis je me libère de toute idée d'obligation, je laisse aller, je fais le vide et l'intérêt *se reforme*. Wittgenstein notait qu'il lui fallait chaque jour "retrouver sous des amas de décombres le noyau vivant" de la pensée.* Je préfère l'idée de l'activité qui s'organise et recrée la vie.

Le jour de l'exposition Manet ou un peu plus tard, une autre idée m'est venue. Ne se pourrait-il pas, me suis-je dit, que ce que nous appelons le *sens* soit un phénomène de même nature que *l'intérêt*? N'est-il pas évident que ce qui nous intéresse a un sens et que ce qui a un sens nous intéresse? Ne découle-t-il pas de là que le *sentiment que quelque chose a un sens* est une forme de notre activité?

J'ai avancé plus haut que le sens d'un mot est une synthèse que notre imagination a produite en unifiant des sensations, des souvenirs, d'autres éléments de l'expérience. Ne se pourrait-il pas que, quand le mot nous vient ensuite à l'esprit, cette synthèse soit réactivée et que le sens du mot soit donc une forme de notre activité? Je pense qu'il convient de voir la chose ainsi et qu'*il n'y a de sens qu'au sein de notre activité, lorsqu'elle atteint un certain degré d'intégration.* Les philosophes, les grammairiens, les linguistes se sont beaucoup interrogés sur la relation entre le mot et la chose, ou entre le mot, le sens du mot et la chose à laquelle il renvoie. Malgré tout ce qu'ils ont dit de cette relation, elle est restée énigmatique. Pour moi, cette façon de l'envisager résout l'énigme.

Ce qui vaut pour le mot vaut pour la phrase, le discours entier, les jeux de langage, le dialogue, qui ne sauraient avoir de sens s'ils n'étaient pas d'abord de l'activité. Mais cela ne vaut pas qu'en matière de langage. Je retrouve ce *sens* dans une démonstration en mathématique, dans un raisonnement bien conduit, dans une composition musicale ou picturale. Je le retrouve dans l'action d'une personne ou dans la vie d'une société tout entière, quand elles sont cohérentes. Le sens a en outre des degrés. Son intensité dépend de l'intensité de notre activité et de l'étendue de ce qu'elle embrasse. Quand l'activité intégratrice défaille, inversement, le sens faiblit, se défait ou disparaît. C'est ce qui nous arrive dans nos moments de lassitude ou dans la dépression.

La question du sens se pose quand l'activité souffre d'un défaut d'intégration. Elle disparaît quand nous sommes dans un régime d'activité supérieur. Elle ne me vient pas à l'esprit quand je parle et que je dis quelque chose de sensé. Elle n'effleure pas le violoniste qui joue, quand il est entré dans sa musique, ni les enfants absorbés dans leur jeu, ou l'enfant qui apprend.

24. J'éprouve un sentiment de liberté quand un processus d'intégration progresse selon sa propre loi, sans subir d'interférence extérieure. Je l'éprouve quand ce processus engendre un

acte et que je deviens cause efficiente. Je souffre de non-liberté chaque fois que le processus est empêché, du dedans ou du dehors, ou que l'acte ne peut pas avoir lieu. J'en souffre de façon aiguë lorsqu'on exige que j'agisse librement tout en me privant des conditions qui sont nécessaires pour cela, par exemple quand on me met au défi de comprendre quelque chose ou de réussir un geste nouveau sans me laisser le temps qu'il faut. Ces injonctions contradictoires rendent fou. On ne peut pas être libre sur ordre.

De ces remarques et de tout ce qui précède ressort une réponse à la question de la liberté. Cette réponse est intimement liée à la connaissance des lois de l'activité et, plus largement, du déterminisme universel. La liberté ne fait pas exception à l'enchaînement général des causes et des effets. Elle est une puissance agissante qui, pour des raisons que nous connaissons ou que nous ne connaissons pas, naît en nous d'un processus d'intégration. On ne peut donc pas opposer liberté et nécessité. Si la liberté était une force étrangère à l'enchaînement général des causes et des effets, d'ailleurs, on ne voit pas comment nous pourrions agir sur la réalité. Nous agissons sur elle parce que nous en faisons partie et que nous pouvons prévoir, jusqu'à un certain point, quel acte produit quel effet.

De surcroît, cette conception de la liberté comme soumise aux lois de l'activité et, plus généralement, au déterminisme universel présente un grand avantage. L'idée que tout est causé, dans la réalité comme dans ma propre activité, me rend attentif à ce qui se passe hors de moi et en moi, aiguise mon sens de l'observation et me rend apte, de ce fait, à tirer parti des lois de l'activité pour augmenter ma puissance d'agir. Le point de vue déterministe est favorable, voire indispensable au développement de la liberté réelle. L'idée d'une liberté non causée, qui serait un privilège de l'esprit humain et le placerait hors du déterminisme régissant la réalité extérieure, conduit au contraire à l'inattention, à une appréhension insuffisante des lois de l'activité et à des modes d'action inadéquats, donc à la non-liberté. Cette idée crée en outre l'illusion que nous pouvons nous abstenir d'agir et que nous échapperons aux conséquences qu'aura cette abstention. Elle fait de la "liberté" l'excuse de la paresse ou de l'irresponsabilité, ou la justification du caprice et de l'arbitraire. Notons que nul n'éprouve le besoin de l'invoquer quand il agit en accord avec lui-même et selon les lois de l'activité. À ce moment-là, elle est pour lui une expérience immédiate, qui se suffit à elle-même.

La liberté nous est aussi nécessaire parce que nous ne pouvons pas vivre sans développer dès le début de notre existence de nombreuses puissances d'agir et qu'elles doivent se développer en nous selon les lois de l'activité. Elle nous est ensuite nécessaire pour agir et nous renouveler. C'est une nécessité pour l'être humain de laisser s'accomplir en lui de nombreux processus d'intégration et de les seconder parfois par un véritable travail. C'est une nécessité pratique, mais c'est aussi par là qu'accroissant sans cesse sa puissance d'agir, il atteint la pleine jouissance de lui-même. Quand il joint à cette puissance d'agir la connaissance des lois de l'activité, il atteint l'accomplissement le plus élevé, celui de la liberté consciente d'elle-même, et consciente de la nécessité. Nous ne naissons pas libres, nous le devenons.

La liberté politique est de même nature. Elle doit certes protéger de la violence et garantir certains droits, mais sa véritable fin est de permettre à chacun de développer et de manifester sa puissance d'agir. C'est d'ailleurs à cette puissance d'agir qu'il revient de créer, ou de recréer chaque fois que c'est nécessaire, ces droits et ces protections, afin que soient assurées les conditions de son plein exercice.

"La liberté n'est en somme que l'essor des facultés humaines", dit Pierre Larousse dans l'article "Liberté" de son *Grand dictionnaire universel du* XIX*e siècle*. "La vraie liberté, la *liberté puissance*, précise-t-il, n'est pas seulement, comme le prétend l'école libérale du laisser-faire, le droit, mais bien *le pouvoir* de développer ses facultés sous l'empire de la justice et la sauvegarde de la loi." C'étaient pour lui les facultés qui servent à "tout discuter, tout simplifier, tout essayer, tout vérifier".* Plus fondamentalement, c'est celle d'agir et de produire du nouveau.

Lorsque j'ai lu pour la première fois le *Discours de la servitude volontaire* d'Étienne de La Boétie, une phrase m'a frappé et n'a cessé de me troubler par la suite : "La seule liberté, les hommes la dédaignent uniquement, écrit-il, parce que s'ils la désiraient, ils l'auraient : comme s'ils se refusaient à faire cette précieuse conquête, parce qu'elle est trop facile."* Étienne de La Boétie disait quelque chose qui me paraissait vrai, mais que je ne comprenais pas. Je saisis maintenant ce paradoxe. Lorsque ma liberté est niée et que je ne peux plus agir, la seule idée que je pourrais le faire à nouveau est le signe qu'une puissance d'agir se reforme en moi. L'erreur commune, dit Étienne de La Boétie, est de croire que notre liberté, lorsque nous voulons la recouvrer, dépend d'autre chose que de cela. La liberté retrouvée n'est pas autre chose que la fine pointe d'un processus d'intégration qui reprend et qui va engendrer une puissance d'agir. Cette puissance sera d'autant plus grande qu'elle naîtra d'un processus d'intégration plus ample et partant de plus bas.

La liberté se forme de bas en haut, comme la pensée. Elle n'est pas autre chose que la pensée. La pensée n'est pas autre chose que la liberté.

La liberté est indivisible. Elle l'est parce que l'intégration tend à l'unité de l'activité ou la réalise. "Je suis si avide de liberté, disait Montaigne, que si quelqu'un me défendait l'accès de quelque coin des Indes, j'en vivrais un peu plus mal à l'aise."*

C'est pour cela que, pour réduire la liberté, il suffit de l'atteindre dans sa fine pointe. Combien de fois n'ai-je pas senti un secret découragement lorsque je repartais pour la Chine ? Je me rendais dans un pays où la pensée n'était plus interdite, comme à l'époque où j'y faisais mes études, mais où elle était empêchée d'aller jusqu'au bout et de se muer en puissance agissante. Je ne connaissais que trop la démoralisation sournoise qui en résulte.

25. L'idée de liberté est notre bien le plus précieux, mais elle est si intimement liée aux paradoxes de notre activité qu'elle est aussi

la plus difficile. Quand nous nous y arrêtons, l'aiguille de la boussole s'affole. Revenons donc à l'observation.

Examinons comment se prend une *décision.* Elle se prend d'elle-même quand je parviens à mettre en accord mes besoins ou mes désirs avec les divers éléments de la situation dans laquelle je me trouve – ou plutôt : quand tout cela finit par s'accorder en moi. Mes décisions m'appartiennent, puisqu'elles ont leur origine en moi et déterminent la suite de mon action, et cependant ne m'appartiennent pas parce qu'elles se forment sans que je sache comment, et souvent sans que j'en connaisse toutes les sources. Certaines naissent dans les profondeurs du corps°, loin de mon activité consciente.

Il en va de même de nos *jugements.* Je ne parle pas de ceux que nous prononçons en vertu de critères établis et qui ne sont au fond que des raisonnements. Je pense au jugement par lequel *je me détermine,* en me prononçant sur ce que j'estime bien ou mal, beau ou laid. Ce jugement-là est une synthèse qui se produit en moi et que j'assume comme mienne. En l'exprimant, j'invite autrui à faire preuve du même engagement et de la même liberté, et de se prononcer à son tour. Il est dans la nature d'un tel jugement de s'adresser à autrui et de faire appel à sa liberté.

Je touche ici à un problème philosophique qui justifie une brève digression. À la veille de sa mort, en 1975, Hannah Arendt s'apprêtait à parachever son dernier ouvrage, *La Vie de l'esprit*, par une étude sur la faculté de juger, qu'elle en était venue à regarder comme la principale de nos facultés mentales. Elle comptait s'inspirer de Kant qui, dans sa *Critique du jugement*, présente le jugement esthétique comme un acte d'une nature particulière, libre et s'adressant à la liberté d'autrui. Elle voulait montrer que cette conception du jugement avait une portée générale et valait dans l'ordre politique.* Il est permis de supposer qu'à travers cette réflexion sur notre faculté de juger, ou de *nous prononcer librement*, elle aurait rejoint le thème du *commencement*, qui était au cœur de sa réflexion depuis longtemps. C'était sa conviction que l'homme est *l'être capable de commencements*.* Tout porte à croire qu'elle pensait trouver dans le *jugement* la clé du pouvoir qu'il a de *commencer*. Mais le recours à Kant aurait-il suffi à expliquer *comment* l'homme commence ? Je pense que pour éclairer ce *comment*, il fallait un paradigme du genre de celui que je propose ici.

Un autre point. Hannah Arendt considérait le pardon et la promesse comme l'apport essentiel de l'enseignement de Jésus. Elle voyait dans le pardon une sorte de commencement miraculeux.* Mon paradigme invite à le considérer comme une synthèse nouvelle qui libère de l'emprise du passé en faisant prévaloir le présent. Il ne peut être forcé ni du dehors, ni du dedans. Quand il arrive à maturité et s'impose à la conscience, il s'accompagne d'une émotion d'autant plus puissante qu'elle se forme en même temps dans la personne pardonnée. Il est un événement résultant des lois de l'activité. Quant à la promesse, elle est inséparable du pardon. L'homme est fragile. Il est dans l'incapacité de prévoir toutes les conséquences proches et lointaines de ses actes, mais doit agir et s'engager dans la durée pour vivre avec ses semblables. Il *doit* promettre et ne *peut* le faire que si, en cas d'échec, il peut espérer le pardon.

VI

26. Ce paradigme est lui-même né d'un processus d'intégration. J'ai noté des observations, elles se sont accumulées, elles ont formé des motifs qui se sont organisés autour d'une idée centrale – celle, précisément, de l'intégration. Quand cette idée s'est imposée, je puis dire comme Montesquieu que "tout est venu à moi". Bien que mon opuscule ne soit pas grand-chose à côté de son maître-livre, ce qu'il dit dans la préface de *L'Esprit des lois* vaut pour moi : "J'ai bien des fois commencé et bien des fois abandonné cet ouvrage (...) ; je suivais mon objet sans former de dessein ; je ne connaissais ni les règles ni les exceptions ; je ne trouvais la vérité que pour la perdre : mais quand j'ai découvert mes principes, tout ce que je cherchais est venu à moi ; et, dans le cours de vingt années, j'ai vu mon ouvrage commencer, croître, s'avancer et finir."

Le processus a progressé selon sa propre loi. Chaque fois que j'ai voulu le précipiter, je me suis mis en difficulté. Il fallait lui obéir, l'aider à s'accomplir. Ai-je fait preuve de volonté ? Non, mais de patience et de constance. Ces dernières années, j'ai joui du loisir nécessaire.

Je n'aurais jamais pu mener à bien cette entreprise quand j'enseignais et que j'étais à court de temps toute l'année. Sans doute ai-je aussi tiré parti de mon habitude de la solitude, acquise dans mon enfance, et du déracinement, qui a été une autre constante de ma vie. Je me suis accoutumé à m'entretenir avec moi-même et à suivre le cours de mes pensées.

À partir d'un certain moment, le processus d'intégration s'est aussi étendu à mon passé. J'ai commencé à y apercevoir une certaine cohérence. Jusque-là, j'avais vécu dans l'incertitude sur mon propre compte. L'absence de repères ou d'appuis m'avait souvent jeté dans l'angoisse. Maintenant que se formaient les débuts d'une pensée qui m'était propre, j'en découvrais les origines plus ou moins lointaines. L'intégration s'étendait aussi vers le bas. Des parties enfouies de mon histoire apparaissaient, un récit prenait forme.

Je vois désormais un accord complet entre ma vie et les idées que j'ai développées, ou qui se sont développées en moi. Depuis l'adolescence, j'ai oscillé entre des moments d'inquiétude ou d'angoisse qui me plaçaient au-dessous des autres et des moments d'activité intense qui me plaçaient trop haut, pour ainsi dire, et me mettaient à part d'une autre façon. J'ai fini par voir là une sorte de loi physique. J'ai de la peine à tenir le milieu où l'on trouve naturellement de la compagnie. J'ai besoin d'une activité intense pour me maintenir au-dessus de l'abîme. C'est sans doute ce qui m'a rendu sensible aux régimes de l'activité. L'abîme était une menace quand mon activité était mal organisée. Il était la dimension d'inconnu qui la nourrissait quand elle était pleinement intégrée.

Y avait-il là une loi plus générale ? Je m'en suis peu à peu convaincu parce que je l'ai retrouvée dans des domaines de plus en plus nombreux de mon expérience, et par inférence dans l'expérience des autres.

Au fil des années, cependant, une autre interrogation s'est fait jour. Je me suis demandé si la découverte de cette loi n'avait pas aussi quelque rapport avec le moment présent de l'histoire. Je n'ai pas voulu l'exclure parce qu'après tout, j'avais vécu dans mon siècle, je m'étais cherché moi-même en l'explorant dans tous les sens et je ne devais pas m'étonner de retrouver en moi certaines de ses impasses. Ce que je découvrais dans mon cas pouvait avoir un rapport avec le destin commun. D'où les quelques réflexions que voici.

La crise actuelle pose avec une acuité sans précédent la question des fins. Quel usage l'humanité doit-elle faire des pouvoirs exorbitants qu'elle a développés ? Doivent-ils servir aux uns à dominer les autres, à créer des systèmes qui installent dans l'aveuglement ceux qui en profitent et dans la souffrance ceux qui en sont les victimes ? Doivent-ils servir à ravager la nature et à détruire les conditions de la vie sur la planète ? Devant le danger qui grandit, je suis chaque jour frappé par l'impuissance de la pensée critique et par l'insuffisance des solutions partielles. La critique fait son œuvre, certes. Elle analyse, perce à jour le mensonge et les illusions, mais elle s'épuise à dénoncer l'incessant développement des maux qui nous assaillent. Quant aux solutions ponctuelles, elles sont constamment menacées d'être englouties par le courant principal. La commune faiblesse de la critique et des expériences limitées à un seul domaine est qu'elles ne permettent pas de poser la question première : celle de savoir quelle est la nature propre de l'homme et quelle est par conséquent la meilleure organisation politique qu'il puisse se donner.

Il semble que cette question, qui est à l'origine de la philosophie et de la pensée politique, ne puisse plus être posée aujourd'hui dans toute sa simplicité. Est-ce parce que nous sommes devenus trop savants ? Est-ce parce que nous en savons trop sur les sociétés présentes et passées ? Je vois plutôt la raison de cette impuissance dans la division du savoir, le cloisonnement des disciplines et la spécialisation intellectuelle qui se sont imposées à l'époque contemporaine. Je me bornerai à indiquer quel a été le remède dans mon cas. Il a consisté 1. à partir de l'observation de mon activité, 2. à former à partir d'elle une idée du sujet humain qui comprenne autant que possible tous les éléments de mon expérience et de celle des autres, dans la mesure où j'ai pu la connaître, et soit cohérente et simple dans son principe.

L'idée du sujet qui s'est formée ainsi me semble répondre de plusieurs façons au moment présent de l'histoire.

Elle rend compte de notre capacité de *commencer*. Nous *commençons* en produisant des synthèses nouvelles, ou en les laissant se former en nous. Elles abolissent les anciennes ou les dépassent en les intégrant dans des ensembles supérieurs.

Cette idée du sujet donne à la notion de *vie* un contenu nouveau. La vie qui a le plus grand prix pour l'homme n'est pas la vie biologique, qui lui est donnée, mais celle qu'il crée en lui par l'intégration sous toutes ses formes.

Notre capacité de *commencer* nous donne le pouvoir de nous libérer des systèmes qui nous mènent aujourd'hui à la catastrophe. Et cette redéfinition de la *vie* indique sur quoi centrer le nouveau qu'il s'agit de faire advenir : sur l'œuvre d'intégration qui mène du plus profond au plus élevé et les fait communiquer.

Cette conception du sujet apporte ce que cherchait Spinoza, "une idée de l'homme qui soit comme un modèle de la nature humaine auquel nous puissions nous référer".* Elle est susceptible de donner une charge positive à la critique du monde actuel et de contribuer à surmonter la dispersion et le cloisonnement de notre vie intellectuelle.

Mais le paradigme que je propose n'aura de valeur que pour ceux qui le vérifieront en le dégageant de leur propre expérience, en allant du particulier au général, donc par la méthode inductive comme je l'ai fait moi-même.

Dans son *Éthique*, Spinoza a suivi la méthode déductive. Il a posé des axiomes et en a déduit pas à pas les conséquences. Sans doute ne pouvait-il agir autrement, à son époque, s'il voulait montrer la cohérence de sa pensée et se prémunir contre les attaques irréfléchies. Il devait être prudent à cause du scandale qu'elle ne pouvait manquer de provoquer. Nous n'en sommes plus là. Il ne s'agit plus d'opposer un système à un autre, mais de sortir d'une confusion qui est devenue générale. Au lieu de poser des axiomes et de raisonner à partir d'eux, il convient donc d'observer et de progresser ensuite vers la connaissance par la voie de l'induction ou celle de l'intégration, qui sont une seule et même chose.

Mais est-il permis de conclure de ce que j'observe en moi à ce qui se passe à l'échelle d'une société ? Oui, car une société humaine est, dans son ensemble, une activité plus ou moins bien organisée. "Chaque société d'hommes est une action, composée de l'action de tous les esprits", disait Montesquieu.* Étant faite d'activité, elle obéit aux lois de l'activité. Les forces qui s'y affrontent peuvent se paralyser les unes les autres ou se combiner pour produire une activité supérieure, et donc de la *vie*. C'est le génie de Machiavel d'avoir compris qu'une société est d'autant plus forte et plus durable qu'elle tire parti des conflits qui l'animent au lieu de chercher à les nier.* La démocratie est la forme d'activité commune la plus élevée parce qu'elle permet de résoudre les conflits par des synthèses nouvelles chaque fois que c'est nécessaire. Elle a le pouvoir de se dégager du passé lorsqu'il est devenu mortifère et de repartir du bas pour recréer la vie qui venait à manquer.

Oui, il est permis de rapprocher les deux ordres, mais en tenant compte d'une différence essentielle. Une personne possède l'inappréciable ressource de son corps° et de sa dimension d'inconnu. La société ne l'a pas, ou ne l'a que dans les personnes. C'est par elles qu'adviennent nécessairement les recommencements. La démocratie suppose les personnes et leur pluralité radicale.

27. Je m'arrête ici parce que je veux rester bref. La brièveté augmentera mes chances d'avoir des lecteurs attentifs. Elle a aussi été mon remède contre la tentation de vouloir trop dire. Je me suis efforcé d'être pareil au dessinateur qui, pour bien rendre ce qu'il voit, veille également à ne pas trop simplifier son dessin et à ne pas le surcharger.

J'ai aussi été concis dans mes propositions principales. Je craignais qu'en les développant plus longuement, je n'incite le lecteur à s'intéresser à mes raisonnements plus qu'à sa propre activité. Certaines de mes idées paraîtront peut-être obscures au premier abord, mais je crois qu'elles deviendront claires quand elles auront été bien comprises et qu'ensuite, par leur forme ramassée, elles s'imprimeront mieux dans l'esprit.

Une autre difficulté proviendra de ce que j'ai donné un sens nouveau à certains mots. J'ai suivi en cela le précepte formulé par Pascal : "Les définitions sont très libres, et ne sont jamais sujettes à être contredites ; car il n'y a rien de plus permis que de donner à une chose qu'on a clairement désignée un nom tel qu'on voudra. Il faut seulement prendre garde qu'on n'abuse de la liberté qu'on a d'imposer un nom, en donnant le même à des choses différentes."* Une fois mes définitions données, je m'y suis tenu rigoureusement. Le lecteur ne manquera pas de s'apercevoir de la difficulté qui en découle. En me lisant, il retombera sans doute plus d'une fois dans l'ornière de l'acception habituelle – mais je ne vois pas comment lui éviter cet inconvénient.

J'ai longtemps regretté que le mot "intégration" soit si dépourvu de charme. J'en ai essayé d'autres (union, synthèse, synergie), mais je n'en ai pas trouvé de meilleur et je me suis dit qu'après tout ce terme prosaïque présente un avantage. Comme il n'a aucun titre de noblesse philosophique, il est un instrument neutre qui, somme toute, sert mieux mon propos qu'un terme déjà chargé d'histoire.

Il ne s'agissait de toute façon pas de présenter une idée séduisante, mais de guider le lecteur dans l'observation de son activité et de l'amener à y découvrir ce que j'ai découvert dans la mienne – ou autre chose. Je lui propose *un* paradigme qui, dans la crise où nous sommes, servira peut-être, tel un instrument, à déterminer, dans les petites choses comme dans les grandes, la voie ascendante qui donne la *mesure de l'homme*.

NOTES

p. 10. L'expression provient des *Leçons sur Tchouang-tseu*, Paris, Allia, 2002.

p. 12. Noté dans ses manuscrits philosophiques. Voir *Werke*, Munich, C.H. Beck, 1981, p. 476.

p. 13. Ici et dans la suite, je signale par ° que le mot "corps" est pris dans sa nouvelle acception.

p. 13. Novalis a la même intuition. Il compare l'esprit à la lumière, laquelle est "de la matière *se touchant et s'émouvant elle-même*". *Ibid.*, p. 406.

p. 17. C'est par une transformation semblable que le geste du calligraphe, artificiel au début, devient naturel ; voir Jean François Billeter, *Essai sur l'art chinois de l'écriture et ses fondements*, Paris, Allia, 2010, p. 219-221. Voir aussi, citée p. 48-50, une lettre où Diderot explique à son amie Sophie Volland comment nous découvrons dans l'action les lois de la physique.

p. 23. *Éthique*, Partie II, Proposition 44, Corollaire 2.

p. 30. J'ai commencé à explorer cette alchimie dans le chapitre 6 de *L'Essai sur l'art chinois de l'écriture*; voir en particulier p. 186-188. Cette alchimie produit ce que nous appelons le "concret", mot qui vient du latin *concretum*, "coagulé", "solidifié". Ce mot exprime une idée juste : le "concret" est une synthèse imaginaire devenue solide dans notre esprit.

p. 32. Sur ce point, voir *Notes sur Tchouang-tseu et la philosophie*, Paris, Allia, 2010, p. 90-92.

p. 33. Ce texte forme le chapitre 2 de l'ouvrage qu'on appelle *le Tchouang-tseu*. Je traduis librement afin de rendre exactement le sens. Voici les expressions citées : 其寐也魂交, 其觉也形开, 与接为构, 日以心斗 / 成心 / 是其所非, 非其所是 / 以明 / 物 / 道未始有封, 言未始有常 / 是以圣人不由而照之于天, 亦因是也.

p. 34. *Misérable miracle* (1956), *L'infini turbulent* (1957), *Paix dans les brisements* (1959), *Les Grandes Épreuves de l'esprit* (1966), *Connaissance par les gouffres* (1967).

p. 35. “Gazouillis” : c’est ainsi que s’exprime mon répondant chinois.

p. 39. Extrait des *Notes sur les copies* (1965), reproduites dans *Écrits*, Paris, Hermann, 1990, p. 96-97. C’est moi qui souligne.

p. 42. Je traduis librement pour rendre exactement le sens : 故分也者, 有不分也; 辩也者, 有不辩也. 曰: 何也? 圣人怀之, 众人辩之以相示. 故曰: 辩也者, 有不见也.

p. 44. Voir *Essai sur l’art chinois de l’écriture*, chapitres V et VII.

p. 53. Platon, *Le Banquet*, 175B. Voir aussi 220C. Voir également François Roustang, *Le Secret de Socrate*, Paris, Odile Jacob, 2009, chapitre II.

p. 54. Milton Erickson (1901-1980), psychiatre américain qui a renouvelé la pratique de l’hypnose thérapeutique.

p. 55. Ont surtout compté les deux premiers ouvrages qu’il a consacrés à ce domaine, *Influence* et *Qu’est-ce que l’hypnose ?* Paris, Éditions de Minuit, 1990 et 1994. J’ai présenté un premier bilan de ce que m’a appris l’étude de l’hypnose dans *Études sur Tchouang-tseu*, Paris, Allia, 2006, p. 235-249.

p. 55. Acte I, scène 5.

p. 60. Partie V, Proposition 40 ; Partie III, Définition 2.

p. 62. Heinrich von Kleist, *Über die Verfertigung der Gedanken beim Reden*. Ce texte inachevé, qui date de 1805 ou 1806, n’a été publié qu’en 1938.

p. 68. Sous la date du 27 avril 1837.

p. 71. Dans *Face aux ténèbres. Chronique d’une folie*, Paris, Gallimard, 1990.

p. 74. Dans *Les Naufragés et les Rescapés*, Paris, Gallimard, 1989, p. 82.

p. 76. Les passages cités se trouvent en Marc 13/11, Matthieu 10/20, Marc 11/22, 24, Matthieu 17/17, Jean 14/12. Hannah Arendt, *Condition de l’homme moderne*, Paris, Calmann-Lévy, collection Agora, 1994, p. 314, 396.

p. 79. Henry Mottu, *Dietrich Bonhoeffer*, Paris, Le Cerf, 2002, p. 84.

p. 80. À titre d'exemple, voici les légendes de quelques planches de *La Femme 100 têtes* de Max Ernst (1929) : 2. L'immaculée conception manquée, 12. L'immaculée conception, 18. Ici se préparent les premières touches de la grâce et les jeux sans issue, 137. Le Père Éternel cherche en vain à séparer la lumière des ténèbres. On pourrait en citer bien d'autres, tirées de *Rêve d'une petite fille qui voulut entrer au Carmel* (1930) ou de *Une semaine de bonté ou les sept éléments capitaux* (1934).

p. 80. Je ne retrouve plus ce passage dans *The Life of Saint Teresa of Avila by herself*, Penguin Classics, 1987, lu il y a quelques années. Dans quel autre ouvrage ai-je rencontré cette anecdote ? Je suis sûr de ne pas l'avoir inventée.

p. 82. *Cahiers*, tome 2, Paris, Gallimard, Bibliothèque de la Pléiade, 1980, p. 1374. La citation est légèrement abrégée.

p. 84. Mot cité par Jean-Claude Carrière dans *Le Réveil de Buñuel*, Paris, Odile Jacob, 2011, p. 271.

p. 86. Partie IV, Proposition 35, Corollaire 2.

p. 89. Cela dit, je ne suis pas un admirateur inconditionnel.

p. 89. Voir son *Stendhal*, Paris, Allia, 2002.

p. 90. Lettre à Balzac du 16 octobre 1840.

p. 91. Voir sur ce point le précieux petit ouvrage de Catherine Chevalley, *Pascal. Contingences et probabilités*, Paris, P.U.F., 1995.

p. 92. *Confessions*, XI, XIV/17.

p. 99. *Op. cit.*, p. 333.

p. 100. Ces toiles sont au Louvre, à la National Gallery de Londres et au Musée des Beaux-Arts de Nantes.

p. 102. *Remarques diverses*, note datée de 1929.

p. 108. L'article “Liberté” est reproduit dans Michel Winock, *Les Voix de la liberté. Les écrivains engagés au 19*e siècle, Paris, Seuil, 2001.

p. 108. *Le Discours de la servitude volontaire*, Paris, Payot, Petite bibliothèque Payot, 2002, p. 201.

p. 109. *Essais* III, 13.

p. 111. Ses études préparatoires ont été réunies dans Hannah Arendt, *Juger. Sur la philosophie politique de Kant*, Paris, Seuil, 1991.

p. 111. Voir notamment *Condition de l'homme moderne*, p. 233-234. La phrase de Saint Augustin qu'elle cite a dans son contexte d'origine un sens tout différent que celui qu'elle lui donne.

p. 112. *Ibid.*, p. 301-314.

p. 118. *Éthique*, Partie IV, Préface.

p. 119. *Pensées, Le Spicilège*, Paris, Robert Laffont, collection Bouquins, 1991, p. 658, n°2266.

p. 119. Voir Claude Lefort, "Machiavel et la *verità effetuale*", *in Écrire à l'épreuve du politique*, Paris, Calmann-Lévy, collection Agora, 1992, et Paul Valadier, *Machiavel et la fragilité du politique*, Paris, Le Seuil, collection Points Essais, 1996.

p. 121. *De l'esprit géométrique et de l'art de persuader*, début de la première section.

ACHEVÉ D'IMPRIMER
DANS L'UNION EUROPÉENNE
POUR LE COMPTE DES ÉDITIONS ALLIA
EN MARS 2016

ISBN : 978-2-84485-583-1
DÉPÔT LÉGAL : SEPTEMBRE 2012

1re ÉDITION : SEPTEMBRE 2012
4e ÉDITION : MARS 2016